KB041015

창문 너머 어렴풋이

신유진

창문 너머 어렴풋이

시간의흐름。

(……)

그리고 그들의 집에
열린 어느 창문가에
나의 시를 읽으며 앉아 있을
아끼는 의자 하나가 있기를,

(……)

페르난두 페소아의 시집 『시는 내가 홀로 있는
방식』(민음사)에 수록된 시 「양 떼를 지키는 사람」

차례

들어가는 말

내 방에는 서쪽과 남쪽을 향해 창문이 하나씩 나
있습니다. 서향 창은 침대 오른편에 있어서 잠에서
깨면 자연스레 눈길이 가는 곳이지요. 새벽 네 시 반,
나는 침대에서 일어나 창밖을 내다봅니다.

　새벽이라지만 캄캄한 밤과 다를 게 없습니다.
사실 하루 중 이때가 제일 어둡습니다. 잠 못 드는
누군가의 방에도 그때쯤에는 불이 꺼지고요,
가로등도 눈을 감습니다. 빛 한 줄기 없는 그 순간,
나는 창문을 활짝 엽니다.

　보이는 것은 어둠입니다. 아니, 어둠은 보이는 게
아니라 보이지 않는다고 해야 할까요? 눈앞이 캄캄할
때, 그것은 캄캄함을 보고 있는 것인지, 보지 않는
것인지 잘 모르겠습니다.

나는 종종 서향 창 앞에서 본다는 게 무엇인지
생각해봅니다.

언젠가 『빛의 얼굴들』이라는 책에서 이런 구절을
읽었습니다.

> 우리는 흔히 '사물을 본다'라는 표현을 사용한다.
> 하지만 엄밀히 말하면 우리는 사물을 볼 수 없다.
> 그저 사물을 맞고 튕겨 나오는 빛을 눈으로 감지할
> 뿐이다.*

시각은 수동적인 감각이라고 합니다. 빛에 의해
'보이는' 것이지 '보는' 것이 아닙니다. 우리에게
보이는 것은 사실 사물이 아니라 멀리서 출발한 빛의
반사광이고, 그러니 빛이 없다면 아무것도 보이지
않는 것이지요. 빛에 반응하여 대상을 보는 것은
망막의 일이니까요.

그렇지만 망막이 아닌 다른 것으로 본다면
어떻습니까?

빛이 없는 자리를 알고 있습니다. 새벽 네 시 반,
내 방의 서향 창이지요. 나는 아무것도 보이지 않는
그곳에서 무언가를 봅니다. 그것은 '보이는' 것이
아니라 '보는' 것이지요. 망막이 아니라 기억의
반응입니다. 현상이 아니라 심상입니다.

* 조수민, 『빛의 얼굴들』, 을유문화사

10

어제는 그곳에서 할머니를 봤습니다. 새벽이면 샴푸와 비누 타월과 수건이 담긴 분홍색 바구니를 들고 목욕탕에 가시던 할머니가 서향 창 너머로 걷고 있었습니다.

"할머니 어디 가?"

내 옆에 잠든 이가 깰까봐 조용히 물었습니다.

"멀리 가."

할머니도 가만히 속으로만 대답했습니다.

"다시 안 와?"

할머니는 대답 없이 서쪽으로 멀어졌지만, 나는 꿈속에서처럼 눈을 비비거나 울거나 하지 않았습니다. 창가에서 보는 모든 풍경이 그렇듯 적절한 거리를 두고 알맞게 그리웠습니다.

여기, 빛이 없는 서향 창에서 나는 때때로 다시 만날 수 없는 사람들을 만납니다, 돌아갈 수 없는 시간을 다녀옵니다. 그리고 그런 일은 창 너머로, 바라보는 일만으로도 가능합니다. 내게 보이는 것은 외부의 빛의 반사작용이지만, 내가 보는 것은 내면의 빛에 의한 것이니까요. 나는 그 컴컴한 어둠에 내가 만든 미약한 빛을 보낼 수 있습니다.

그러니 보이는 것 없는 이곳에서 내가 보는 것은 나의 반사광이자 나의 기억일 것입니다.

이제 남향 창 이야기를 해볼까요?

그 창은 내 방에서 가장 아름다운 곳입니다. 들판과 숲이 보이고, 나무가 있고 가끔은 고라니가

뛰어놀기도 합니다. 그곳에서는 계절의 달력이
넘어갑니다. 얼마 전에는 겨울을 찢었고요, 이제 봄이
걸렸습니다.

빛이 잘 들어오는 창입니다. 하오의 빛은
얼마나 강렬한지 커튼을 쳐도 박력 있게 창문을
넘어옵니다(사실은 커튼을 잘 치지 않습니다).
아시다시피 빛은 그리 순하고 만만한 존재가
아니지요. 조금 독선적입니다. 일단 비집고 들어오면
제멋대로 반사하고 산란하며 공간을 차지합니다.
구석구석 닿지 않는 곳이 없고, 얌전히 머물다 가는
일도 없습니다. 빛은 허락 없이 존재를 만지고, 빛이
만진 것들은 반드시 달라집니다. 동물과 식물은
키가 자라고, 사물은 그림자가 생기고, 사람은
어떻습니까? 빛이 닿은 사람은…, 얼룩이 생기지요.
요즘 내가 그렇습니다. 얼굴에 밭고랑 같은 주름이
있고, 거기서 깨도 자라고, 새싹 같은 반점도
움틉니다. 하얀 피부는 사라지고, 얼룩덜룩한 얼굴만
남았습니다.

남향 창 앞에서 빛을 받아들이는 일에 대해
생각합니다. 그러니까 그것은 표백이 아니라 흔적을
받아들이는 일이라고, 빛이 지나간 자리는 얼룩이
남는 것이라고. 그래서 나는 용감하게 안티에이징을
안티하며 그 창을 시원하게 열어둡니다. 사실
나는 깨끗한 하얀색을 좋아하지 않습니다. 아무도
다녀가지 않은 얼룩 없는 하얀 세상보다 누군가
통과한 흔적이 남은 얼룩진 세계가 좋습니다.

표백되지 않은, 무늬 가득한 삶을 살고 싶습니다.

오래전부터 빛의 얼룩을 가진 사람이 되고 싶다고 생각했습니다. 피고 지는 일, 오고가는 모든 것이 자연스레 남은 얼굴. 아마도 순응하는 삶을 사는 사람만이 그런 흔적을 가질 수 있겠지요.

이렇게 이야기하다 보니 나는 썩 괜찮은 창을 가진 것 같습니다. 기억을 볼 수 있는 창과 내게 흔적을 남기는 빛이 들어오는 창. 고백하자면, 그것은 내가 쓰고 싶은 글이기도 합니다.

내 글이 방이라면…, 글자 가득한 방에 기억이 보이는 창 하나와 빛이 들어오는 창 하나를 내고 싶습니다. 그리고 거기, 창가에는 당신을 위한 편안한 의자를 가져다 놓을 겁니다. 상상만으로도 이 작은 방이 벌써 환해지는 기분입니다.

창가에 잠시 머물다 가시겠습니까?

지금, 창문을 활짝 열었습니다.

창문 하나,

Mémoire

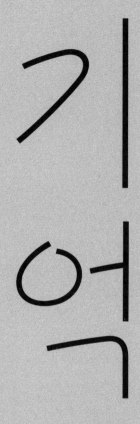

기억

날마다 자라는 과거도 있습니다

· 이승희, 『거짓말처럼 맨드라미가』, 「맨드라미 정원」, 문학동네

빨간 벽돌 이층집

카페처럼 생기지 않은 카페에 왔다. 빨간 벽돌 이층집.
옛 가정집의 흔적은 일부러 남겨둔 듯하다. 함께 온
친구에게 물으니 요즘은 이런 곳이 유행이라고 한다.
"집에만 박혀 있는데, 네가 뭘 알겠니…."

친구의 농담 섞인 말에 뜨끔했다. 아무것도 모르는
나를 들킨 것 같아서.

언제부터인가 유행이 잘 보이지 않는다. 사람들이
좋아하는 것이라고 하면 그런가보다 하면서도 사실
잘 모르겠다. 어쩔 수 없이 나이와 함께 닫히는 감각이
있다. 뭐가 좋은지 봐도 잘 모르겠다는 말에 친구는
그게 바로 스위치 하나가 내려간 것이라고 했다.
방마다 환히 켜져 있던 불이 하나씩 꺼져가는 집, 그게
나일까.

어딜 가나 뷰를 찾는 친구 때문에 주문을 하고
이층으로 올라왔다. 대한민국 어디에서나 흔히 볼 수
있는 뷰다. 카페 옆 카페, 옷 가게 다음에 카페, 김밥집
옆에 카페.

"빨간 벽돌 이층집으로 와."

앞 테이블에 앉은 여자가 느긋한 목소리로 이곳의
주소를 불렀다. 아, 그런 주소라면 나도 잘 알고
있는데….

중앙시장 골목 빨간 벽돌 이층집. 내 집 주소였다.
길 이름이나 번지수로 길을 찾아다니지 않던
시절에는 짜장면도 치킨도 손님도 모두 그 주소를
들고 우리 집에 찾아왔다. 멀쩡한 초인종을 두고
대문 앞에서 "짜장면이요!" "치킨이요!" "유진아!"를
외쳤던 사람들. 그중에서도 식구들과 동네 사람들은
초인종을 누르듯 내 이름을 불렀다. 그러니까 대문
앞에서 두 걸음 물러나 목청껏 "유진아!"라고 부르면,
엄마가 "네!" 하고 달려가 문을 열었던 것이다.
그 시절 엄마는 내 이름으로 불렸고, 나는 지금도
내 이름을 쓸 때마다 엄마의 얼굴을 떠올린다.

사람들이 '유진아' 하고 부르면 엄마는 하루에도
열두 번씩 마당으로 달렸다. 그 이름은 왜 그리 자주
불렸을까. 새벽부터 밤까지 쿵쿵 뛰어다니던 엄마의
걸음 소리가, 카페에 울려퍼지는 프랭크 시나트라의
목소리를 뚫고 콘트라베이스처럼 귓가에 둥둥
울린다. 중앙시장 골목 빨간 벽돌 이층집을 떠난 지

20년이 됐는데.

　엄마가 대문을 열어주러 뛰어가는 동안에 그 이름의
진짜 주인인 나는 창문의 커튼 뒤에 숨어서 초인종을
쓸 줄 모르는 바보들을 훔쳐봤다. 이영희 미용실의
분홍색 보자기를 뒤집어쓴 아줌마들, 양파와 마늘,
팔고 남은 야채를 주려고, 화장실을 쓰려고 우리
집 문을 두드렸던 채소 파는 김씨, 과일 파는 박씨,
떡집 최씨. 그 아줌마들은 내가 커튼 뒤에 숨은 것을
귀신같이 알고 내게 손을 흔들며 엄마에게 말했다.
"유진아, 유진이가 언제 저렇게 컸대?"
　척하면 척인 우리 동네 귀신들. 남편이 바람난
집, 망한 집, 누가 아픈 집, 얼굴만 봐도 속사정까지
꿰뚫던 그 아줌마들은 저녁이면 건어물 가게에 모여
앉아 연속극을 보며 술판을 벌였다. 아줌마들이
보는 드라마에는 홈드레스 차림으로 전화기를 들고
"네, 평창동입니다"라고 말하는 여자들이 나왔고,
그 여자들을 흉내내는 것은 아줌마들의 놀이였다.
손가락으로 전화기를 드는 시늉을 하고 코맹맹이
소리를 내며 "네, 중앙동입니다"라고 말하면,
지나가던 아저씨도 웃고, 개도 웃고, 쓰레기를 버리러
나온 엄마도 웃고.
"엄마, 저게 웃겨? 왜 웃겨?"
물으면,
"그거야 평창동과 중앙동은 다르니까"
라고 엄마가 대답했다.

평창동과 중앙동은 달랐다. 평창동 아이들은
간식으로 비닐봉지에 담긴 떡볶이가 아니라 접시에
담긴 과일이나 케이크를 먹었고, 평창동 이층집에는
목 늘어난 티셔츠에 맨발이 아니라 홈드레스를 입고
슬리퍼를 신은 엄마들이 있었고, 평창동에 사는
아빠들은 점퍼가 아니라 양복을 입고 출퇴근했다.
그런데 왜 달랐을까? 그걸 잘 모르겠다, 여전히.

그 시절 내게 세계는 평창동과 중앙동으로
나뉘었다. 평창동은 TV화면 너머에, 중앙동은 창문
너머에.

달고 찐득거리는 것을 먹은 내 손가락으로 지문
범벅이 된 TV 속에서 전화벨이 울렸다.

"네, 평창동입니다."

홈드레스를 입은 아줌마가 말했다.

나는 손가락 전화기를 들고 따라 외쳤다.

"네, 중앙동입니다."

엄마가 웃었다.

엄마는 그렇게 어이없는 농담에도 깔깔 웃다가
늦은 밤, 내 이름이 골목에 울려퍼지면 소리죽여
울음을 삼키곤 했다.

"유진아, 문 열어라."

대문 앞에서 아빠가 엄마를 부르는 소리.

"유진아, 개 같은 세상이다."

대문 앞에서 아빠가 엄마를 울리는 소리.

유진아…, 그렇게 지긋지긋했던 이름이 또 있을까.
그 이름이 엄마를 울릴 때마다, 나는 엄마의 진짜

이름을 되찾아주고 싶었다.

"성님 씨, 아름다운 세상입니다"라고 말해주고
싶었는데, 술 취한 사람의 목소리는 왜 그렇게 큰지
내 작은 목소리는 이불 속에서만 맴돌았다.

아빠는 왜 그렇게 술을 마실까, 그때는 그게
세상에서 제일 궁금했다. 술을 마시면 세상은 개
같아지고, 개 같은 세상에서 아빠는 자꾸 무릎이
꺾이는데, 무릎을 꿇기에는 바닥이 너무 찬데,
아빠는 왜…. 답을 듣지 못한 물음을 너무 오래 품고
살았던 탓일까. 언젠가 찬 바닥에 주저앉은 내게
똑같은 것을 묻는 사람이 있었다.

"너는 왜 그렇게 술을 마시니?"

이 낯선 동네의 빨간 벽돌 이층집에서는 커피
향이 나는데, 내가 자란 중앙시장 골목 빨간 벽돌
이층집에서는 술 냄새가 났다. 골목부터 대문 앞까지,
마당부터 이층 내 방까지. 일과를 마친 상인들의
술 냄새, 아빠의 술 냄새. 그 냄새가 나를 평생
따라다닌다. 술을 마시다가 웃다가 화를 내다가 우는
사람들의 냄새. 왜 사람들은 술을 마실까, 어릴 때는
그게 궁금했고, 다 자라서는 질문이 바뀌었다.

'왜 나는 그 사람들처럼 술을 마실까?'

그런 의문이 들 때면 냉장고에 있는 소주를 죄다
꺼내 버리고 싶었다. 몇 개 없는 비싼 와인을 아무렇지
않게 따고 싶었다. 나는 비싼 와인을 딱 한 잔만 마실
때, 안주로 치즈와 호두만 먹을 때, 술을 마시고

내 이름을 잊을 때, 비로소 그 시장 골목에서 빠져
나왔다는 착각에 사로잡힌다. 술 냄새 찰방찰방하던
그 골목을. 하지만 그럴 리가…, 그리 쉽게 빠져나올
수는 없을 것이다.

　태어나서 처음 소주를 마셨을 때, 입에 착 감기는
맛을 느끼며 본능적으로 알았다. 건어물 가게에서
"네, 중앙동입니다"라고 콧소리를 내며 소주를
마시던 사람들의 흥이, "개 같은 세상"이라고 악을
쓰던 사람들의 분노가, "더는 못 살겠다"고 울던
사람들의 슬픔이 내 안에 뿌리내려져 있다는 것을.
　스무 살에 소주를 마시다가 처음으로 취했는데,
같이 술을 마시던 남자애가 물었다.
"야, 너네 집 어디야?"
"너 우리 집 몰라? 중앙시장 골목, 빨간 벽돌
이층집."
"장난하지 말고 집 주소를 말해봐."
"빨간 벽돌 이층집이라고 몇 번을 말하냐, 바보야."
　그놈은 결국 중앙시장 골목에서 빨간 벽돌
이층집을 찾아냈고, 나를 대문 앞에 버리고 도망갔다.
그날 나는 처음으로 나를 버리고 떠나는 사람의
뒷모습을 봤다. 발이 안 보였다. 사람이 저렇게 빠를
수도 있구나. 초인종을 누르고 줄행랑쳤던 놈, 바보
같은 놈. 그 집의 문은 그렇게 열리는 게 아닌데.
　대문 앞에 기대어 앉아 있으니 세상이 빙글빙글
돌고, 가로등이 나를 향해 성큼성큼 걸어오고,

건어물 가게에서 담장의 미아리 고개인가 하는
노래가 들려오고. 나는 거기 그렇게 앉아서 우리
집을 봤다. 서양식으로 지은 빨간 벽돌 이층집.
할아버지, 할머니가 6.25 때 큰아버지와 아빠를
데리고 피난 와서 살던 일본식 가옥을 때려 부수고
지은 집, 우리 아빠의 업적, 초인종이 있으나 아무도
초인종을 누르지 않는, 모든 것이 새것이나 아무도
쓸 줄 모르는 바보 같은 인간들의 복잡한 이야기가
얽히고설켜 있던 집. 나는 그 집 대문 앞에 버려져
내 이름을 불렀다.
"유진아, 유진아."
이층에 불이 켜졌다.
엄마가 뛰어 내려와 문을 열었다.
"유진아."
엄마와 나는 서로를 불렀다.

파리에서도 종종 소주를 마셨다. 한국 유학생들이
즐겨 찾는 포차가 있었는데, 낮에는 빵을 파는 빵집
이었고 저녁에는 지하에서 술을 팔았다. 소주 한 병에
10유로. 떡볶이, 곱창, 어묵탕 같은 안주도 있었다.
소주를 많이 마시면 바게트를 선물로 주기도 했다.
딱딱하게 굳은 바게트를 쥐고 집에 돌아가는 길에는
그렇게 웃음이 났는데, 아침에 일어나 책상 위에
회초리처럼 놓인 그 빵을 보면 화들짝 놀랐다.
지난밤에 내가 또 무슨 주접을 떨었을까…, 하는
생각에.

파리까지 가서 무슨 소주냐 하겠지만, 주말이면
그 포차 앞에 남자애들 여자애들이 줄을 섰었다. 같이
마실까? 뭐래, 난 그냥 떡볶이 먹으려고 온 거야.
우리 집에 와, 내가 해줄게. 한국에서 엄마가 보내준
쫄면도 있어. 떡볶이와 쫄면으로 어떻게 해보려는
은밀한 대화들. 중앙동이나, 파리나 바보들 천지였다.

　나는 바보들 사이에서 소주 한 병을 알뜰하게
마셨다. 술값 아끼려고 빨리 취하려고 일부러 안주도
잘 안 먹었다. 그리고 취했다, 길을 걸었다, 걷다가
웃다가 울다가. 거기가 중앙동과 다를 게 뭔가. 비슷한
시간에 비슷한 사람들이 흥과 분노와 슬픔을 나누던
곳. 사람들은 어디에서든 그런 것을 나눈다. 그리고
나는 그런 사람들을 보면 모두 우리 동네 아줌마들
같다. 보고 싶던 귀신들. 보고 싶다, 보고 싶다, 자꾸
말하면 별사람들 얼굴이 다 생각났던 시절.

　취해서 느릿느릿 걷다 보면 지하철이 끊겼다. 사실
한참 전에 끊겼는데 술 마시는 게 재밌어서, 사람들과
같이 있고 싶어서 모른 척했던 건데, 역시 택시를
잡을 때면 후회됐다. 돈이 아까워서. 그러니 걸을
만한 날에는 걸었고, 네발로 기어가야 하는 날에는
소주를 끊어야지 다짐하며 택시를 탔는데….

　한번은 이런 적이 있었다. 여느 때처럼 택시 기사가
물었다.

"어디로 가세요?"

"시장으로 가면 빨간 벽돌 이층집이 있어요. 거기요,
거기로 가주세요."

"네? 시장이요? 빨간 벽돌 이층집?"

"네. 꼭 거기로 가주세요."

택시 기사는 낭만적인 주소라고 말했다.

차가 달렸다. 궁전을 지나고, 광장을 지나고, 다리를 넘고. 계속 히죽거리던 운전기사는 마침내 빨간 벽돌집 앞에 나를 내려줬다.

생전 처음 보는 집이었다. 분명 이층집이라고 말했는데, 그 빨간 벽돌집은 이층이 아니라 삼층이었다. 프랑스에서는 일층을 0층이라고 하니까 우리 식으로 따지면 삼층이 맞지만, 어쩐지 속은 기분은 뭐였을까? 그곳에서는 차마 내 이름을 부를 수 없어서 되돌아왔다.

다음 날 아침, 책상 위에 회초리 같은 바게트가 나를 노려보고 있었다.

파리에서 빨간 벽돌집을 찾아간 것은 그것이 마지막이었지만, 사는 동안 몇 번이고 돌아가는 상상을 했다. 학교가 일찍 끝났는데 갈 곳이 없을 때, 아르바이트로 일하던 식당 주인이 손님에게 받은 팁을 가로챘을 때, 아플 때, 애인을 찼을 때, 애인한테 차였을 때, 나 여기서 뭐 하고 있는 건가 싶을 때. 돌아가 대문을 흔들며 유진아, 유진아, 부르고 싶었는데.

방학 때, 집에 돌아와 엄마와 싸우기만 하다가 다시 파리로 돌아가는 날에, 엄마는 리무진 버스를 타는 곳까지 배웅을 나와 손을 흔들며 이렇게 말했다.

"잘 다녀와."

"다녀오겠습니다."

내가 평소에 쓰지도 않는 존댓말로 인사하며
엄마를 안아주면,

"유진아."

엄마가 내 이름을 부르며 훌쩍훌쩍 울었다.

18년을 떠나고 돌아왔는데, 엄마가 울었던 것은
15년째, 그때까지였다. 16년째 되던 해에는 엄마도
나도 씩씩하게,

"잘 다녀와."

"갔다 올게."

그렇게 헤어졌다.

며칠 전, 엄마네 집에서 밥을 먹고 나오는데 대문
앞까지 배웅 나온 엄마가 손을 흔들며 말했다.

"잘 다녀와."

습관이란 게 무섭다. 이제 그 집에는 내 방이
없는데⋯. 대문 밖에서 집을 올려다보니 옛날에 내가
숨었던 이층 창문 뒤에서 아빠가 나를 보고 있었다.
자세히 보려고 미간을 찌푸리지 않아도 아빠의
표정이 보였다. 꼭꼭 숨어서 존재를, 마음을 들키길
바라는 사람의 얼굴이. 이제 내가 귀신이 됐나보다.
숨은 것들이, 작은 것들이 자꾸 보인다.

이곳은 빨간 벽돌 이층집. 시나트라의 목소리가
들리고 사람들이 조용히 앉아 커피를 마신다. 고개를

돌리면 창 너머로 집을 닮은, 집이 아닌 것들이 있고, 귀신처럼 가만히 그곳을 내려다보면 그 옛날 술 냄새 찰방찰방하던 시장 골목이 보이는데….

"세상이 잘 안 보이지? 그게 다 스위치가 내려가서 그런 거야. 시력만 노화가 오는 게 아니라 감각의 노화도 있거든. 그러니까 좀 나와. 집에만 있지 말고."

친구가 말한다.

스위치가 톡 내려간 내 마음의 작은 방 하나, 그곳에 웅크리고 앉은 나를 어떻게 알았을까.

그러나 이쪽에 불이 꺼져야 비로소 환하게 보이는 것들이 있다. 멀어진 것들이 남기고 간 굴곡진 풍경 같은 것, 그러니까 시간의 주름.

미자

미자에 대한 이야기다. 아주 어릴 때, 미자와 함께
살았다. 누군가의 손을 잡고 아장아장 걸었을 때,
기저귀가 들어 있는 가방을 메고 다녔을 때,
머릿속에는 희미하고 사진 속에는 선명한 그 시절의
미자가 있다.

　단발머리를 한 열일곱 살 소녀. 키가 작고, 몸집도
작은 그 여자아이가 나를 업고 있다. 미자는 그렇게
움직임도 소리도 없이 사진 속 모습으로 내게 남아
있다. 가만히 짓는 미소만 어떤 날은 환하고, 어떤
날은 뿌옇다.

　"미자가 너를 맨날 업고 다녔어. 기억 안 나?"

　옛날부터 엄마는 뜬금없이 미자 이야기를 꺼냈다.
내 머리를 빗겨주다가, 마당에 핀 맨드라미나

봉선화를 보다가, 시장에서 어묵을 사 먹다가.
그때마다 나는 모르는 척 시치미를 뗐지만 사실은
기억을 꼬집힌 것처럼 따끔한 감각을 느끼곤 했다.
미자는 종종 그렇게 의외의 시간과 장소에서 열일곱
살 소녀의 얼굴로 우리에게 돌아왔다.
"미자가 너를 아가라고 불렀어. 그때는 정말
아가였지."
  오늘도 엄마는 내 이마의 머리카락을 넘겨주다가
느닷없이 미자를 불렀다.
"언제 이렇게 자랐을까?"
"자란 게 아니라 늙은 거야."
  말대꾸로 얻은 것은 꿀밤 한 대. '톡' 소리와 함께
이마가 붉어졌다.
  엄마는 내게 눈을 흘기면서도 붉어진 내 이마를
손바닥으로 살살 문질렀다. 엄마의 손길에 이마가
따뜻해지고, 눈이 저절로 감기고. 자, 이제 미자가
오려나?
  엄마와 나는 동시에 창밖을 봤다.
"미자가 저기서 너를 업고 다녔어."
  예전에 화단이 있었던 자리를 가리키며 엄마가
말했다.
  미자 이야기가 또 그렇게 시작됐다. 백 번쯤
들었을까. 이제 미자가 나를 업어줬던 횟수보다
업혔다는 말을 전해 들은 횟수가 더 많다. 미자는
열아홉 살 때까지만 우리와 함께 살았고, 그 이후로
내가 미자의 등에서 내려와 마흔까지 자랐으니

미자보다 미자의 추억이 더 언니인 셈이다.

미자는 열세 살에 우리 집에 왔다. 미자의 엄마가 일하던 집에 미자를 버리고 갔고, 그 집에 놀러 갔던 할머니가 미자를 데려왔다고 한다. 밥은 먹여줄 테니 나랑 같이 갈래, 물었더니 말없이 따라왔다고….

"그건 정말 말도 안 되는 소리야. 조선 시대도 아니고."

나는 고개를 절레절레 흔들었다. 미자 이야기는 언제나 너무 멀다. 고전소설에 나올 법한 버려진 아이가 우리 집에서 그것도 나와 함께 살았다는 사실이 여전히 믿기지 않는다.

"미자 특기가 뭔 줄 알아?"

엄마는 내 반응에도 아랑곳하지 않고 이야기를 이어갔다.

"뭐였지?"

나는 알면서도 모르는 척 눈을 동그랗게 뜨고 물었다.

"아기 재우기지."

엄마의 목소리가 한껏 들떴다.

아기 재우기, 그런 특기도 있을까. 미자는 나처럼 잠도 없고 잘 우는 애들을 금세 재웠다. 일단 아기를 업고 수돗가 한 바퀴를 돌고, 그래도 울음을 그치지 않으면 맨드라미와 봉선화 핀 화단을 또 몇 바퀴 돌고. 왈츠를 추듯 왔다 갔다, 그러면 어느새 사방이 캄캄해지고 아기는 달큰한 밤과 미자 냄새에 두 발이 동동 떠 있는 줄도 모르고 곤히 잠들었다.

중요한 것은 없는 게 아니라 왔다갔다하는 걸음이다.
올 것처럼 또 갈 것처럼, 오지도 가지도 않으면서
제자리에서 왔다갔다….
"진짜 기억 안 나?"
　엄마는 엄마와 나, 그리고 미자만이 들어갈 수
있는 세계로 나를 부른다. 어린 엄마와 미자가 서로의
어깨에 기대고, 내가 그 두 여자의 품에 번갈아
안겼던, 딱히 행복했다고 말할 수는 없지만, 돌아가고
싶은 순간을 꼽자면 언제나 손가락 끝에 걸려 있는
그곳으로. 그러니 내가 할 일은 그 이야기 속에 망설임
없이 뛰어드는 것일 테다. 어릴 때 엄마의 손을 잡고
턱이 높은 문을 넘었던 것처럼, 의심 없이 폴짝.
　숫기 없던 미자는 화장을 계기로 엄마를 따르게
됐다. 어느 무료한 저녁에 엄마가 미자를 방으로
불러 곱게 화장을 해준 이후로 미자는 엄마만 보면
강아지처럼 졸래졸래 쫓아다녔다고 한다.
"한번은 미자가 내 방에서 화장품을 몰래 가져가서
얼굴에 덕지덕지 발랐다가 할머니한테 들킨 거야.
그날은 엄마도 혼나고, 미자도 혼나고. 할머니는
화가 나셨는데, 시뻘겋게 칠한 미자의 입술은 얼마나
웃기던지. 웃음을 참느라고 혼났어."
　엄마는 그날의 미자 얼굴이 떠올랐는지 깔깔
웃으며 앨범을 꺼내 미자와 찍은 사진을 손가락으로
가리키며 말했다.
"그때 참 예뻤는데."
"누가?"

"우리, 다."

엄마와 미자는 저녁이면 분홍색 립스틱을 바르고 마당에 앉아 시간을 보냈다. 엄마는 아빠를 기다렸고, 미자는 엄마의 기다림을 기다려줬고, 나는 두 여자의 등에 업혀 잠을 잤다. 기다리는 마음, 기다림을 지켜보는 안타까운 마음, 사랑하는 마음, 마음을 여러 겹 포갠 포대기로 나를 둘러업었던 그 여자들의 등, 나는 지금도 그 등의 온도를 기억한다.

"네가 맨날 미자 등에 딱 업혀 있었어."

엄마의 말에 사진 속 미자의 얼굴을 뚫어지게 보지만 떠오르는 것은 미자의 작은 어깨 너머로 보이던 풍경들뿐. 맨드라미, 봉선화, 밤, 회색 담. 사실 그것들조차도 기억인지 상상인지 잘 구분되지 않는다.

"미자는 어땠어?"

나는 앨범에서 사진을 몇 개 골라내며 물었다.

"이거 봐, 미자도 이때는 어렸다. 참 착했어. 말도 별로 없었고, 먹고 싶은 거 하고 싶은 거 많았을 텐데 어린애가 잘도 참았지. 남들처럼 학교에 가고 싶냐고 물으면 대답이 없었고, 돈 벌고 싶냐 물으면 수줍게 고개를 끄덕이고 그랬어."

"응, 미자는 돈을 좋아했네."

농담으로 한 말에 엄마에게 등짝을 맞았다.

"미자는 그런 애가 아니야."

"그런 애가 아니면 어떤 앤데?"

엄마는 사진 속 미자를 한참 바라보다가 다시

이야기를 이어갔다.

미자는 예쁜 것을 좋아했다. 미자에게 예쁜 것은
분홍색 립스틱, 마당에 핀 빨간 맨드라미, 봉선화 물든
고운 손톱. 늦봄부터 미자와 엄마의 새끼손가락에는
분홍 물이 들어 있었다.

"여기, 이 손가락에 꽃물을 들이면 얼마나
예뻤는지!"

엄마는 가꿀 줄 몰라 짧게 자른 손톱을 내려다보며
말했다.

"참 신기하다. 손톱도 늙는구나. 이거 봐, 쪼글쪼글."

"엄마, 우리도 봉선화 물들일까?"

봉선화 꽃잎을 따본 적도 없는 내 거짓말에 엄마가
열일곱 살 여자애처럼 웃었다. 꼭 미자처럼. 나는
엄마가 그렇게 웃으면 엄마가 미자인 것 같고, 미자가
엄마의 달아난 시간인 것만 같다.

"너는 미자에 대해 생각나는 것 없어?"

엄마가 물었다.

나는 고개를 갸웃거리다가 실망하는 엄마의 표정을
눈치채고, 내 기억과 엄마의 이야기가 합작해서
만들어낸 진실 아닌 진실을 외쳤다.

"있어, 미자 방!"

미자 방을 기억한다. 부엌 옆에 딸린 골방이었다.
골방답게 장판이 들썩였고, 빛이 잘 들어오지 않아서
멸치 박스, 사과 박스 그런 것들을 쌓아두기에 좋았고,
무엇보다 미자의 옷장이 있어 숨바꼭질하기에 좋았다.
나는 혼자 숨바꼭질을 하다가 그곳에 자주 숨었다.

열을 세는 동안 숨고, 백을 세는 동안 못 찾으면
이기는 놀이. 그 놀이에서 한 번도 진 적이 없었던
것은 술래가 없어서, 그리고 지퍼로 여닫는 미자의
비키니장이 있어서. 그 옷장에 쏙 들어가면 낮은 밤이
됐고, 밤은 미자의 냄새가 되어서 나를 숨겨줬다. 꼭꼭
숨어라 머리카락 보일라. 혼자 말하고 혼자 숨었던 곳.
요즘도 가끔 미자의 옷장 같은 삶 속에 숨어 술래를
기다린다. 너는 올까, 나를 볼까, 그냥 지나칠까. 수도
없이 많은 마음이 어지럽게 나를 덮는 곳에서.

　한번은 그 옷장에 숨었다가 잠이 들었다. 엄마는
나를 애타게 찾았고 미자는 할머니한테 혼나서
울었다는데, 그사이 나는 평온하게 자고 있었으니
모르는 일이다. 내가 아는 것은 옷장 문을 열고
나왔을 때 나를 와락 안은 것이 미자의 가슴이었다는
것. 털이 몽실몽실했던 스웨터에서 미자의 냄새가
났다는 것.
"어머나, 그랬어?"
　엄마는 내가 몇 번이나 들려줬던 이야기를 마치
처음 듣는 것처럼 반겼고, 나는 한껏 상기된 엄마의
얼굴이 좋아서 '와락' '포근한' 같은 수식어로 양념을
더했다.
　주고받는 대화 속에서 이야기는 조금씩 부풀어
올랐다. 기억이 자라나기라도 하는 것처럼. 우리는
그렇게 미자와 함께했던 순간을 이야기 속에서 다시
살았다. 어디선가 미자의 냄새가 나는 것 같았다.
"엄마, 그런데 미자는 왜 떠났을까?"

내가 엄마의 뭉툭한 손톱을 쓰다듬으며 묻자
엄마는 가만히 창밖을 내다보더니, 미자가 떠났던
날의 이야기를 시작했다.

미자가 우리 집을 나간 것은 그녀가 열아홉 살이
되던 해, 어느 추운 겨울밤이었다. 엄마는 한밤중에
칭얼거리는 나를 업고 거실에 나왔다가 창문 너머로
긴 입김이 멀어지는 것을 봤다.

저거, 미자구나 싶었는데 잡지 않았다고 했다. 남의
집 식모살이 인생 말고, 진짜 제 인생 찾아가려는
미자를 막을 수 없었다고.

"엄마, 미자가 떠난 지 그렇게 오래됐는데 여전히
미자가 보고 싶어?"

내 물음에 엄마는 내 등을 토닥토닥 두드려주며
말했다.

"그냥, 이렇게 미자 이야기를 하다 보면, 미자가
어디서 잘 살고 있을 것 같아서. 내가 그때 미자를
잡지 않은 게 잘한 일이었다고 믿고 싶고. 미자도
우리를 기억할까 궁금하고. 아니다, 걔는 다 잊고
사는 게 좋겠다. 그런데 나는 하나도 안 잊고 싶어.
미자가 떠나던 날에 바람이 많이 불더라. 그 바람에
미자 입김이 자꾸 흩어졌고. 기억도 그렇잖아, 금세
흩어지잖아. 그러니까 이렇게 자꾸 말해야지. 그래야
사라지지 않지. 안 그래? 그런데 너는 정말 미자가
기억나지 않아?"

엄마가 물었다.

"목소리, 냄새, 그런 건 생각나."

나는 엄마가 그랬듯이 한동안 창밖을 바라보다가
나의 미자 이야기를 시작했다.

내가 아는 미자는 열세 살에 우리 집에 왔다. 지금
내게 미자 얼굴은 사진 속의 모습으로만 남아 있다.
나는 미자를 잊었는지도 모르겠다. 그러나 꽃이
어지럽게 핀 봄이 되면 미자의 등이 떠오른다. 한때,
내가 그 등에 매달려 있었다. 등 너머에는 맨드라미와
봉선화가 있었고, "저거 봐! 맨드라미 폈다, 봉선화
폈다" 자신이 본 것을 꼬박꼬박 말로 옮겨주는 사람의
목소리도 있었다. 미자는 내게 등의 기억을 남겨 줬고,
그것은 온기의 기억이자 사랑의 기억이다. 다시 볼 수
없어도, 얼굴을 잊어도, 이야기가 계속되는 한 그런
기억은 사라지지 않는다.

"엄마, 어떤 작가는 돌아갈 수 없는 시간의 무언가를
구하기 위해 글을 쓴대."

내 말에 엄마가 눈을 반짝였다.

"그러니까 우리 이야기도 미자의 무언가를 구하기
위한 것인지도 몰라."

엄마가 아기처럼 눈을 감았다.

"봄이 오면 진짜 봉선화 물들여볼까?"

엄마가 미자처럼 수줍게 웃었다.

안녕

골목은 더러웠다. 시장에는 공중화장실이 없었고,
사람들은 골목을 화장실처럼 이용했다. 한겨울 창
너머로 보이던 엉덩이들을 기억한다. 나란히 쭈그려
앉은 하얗고 뽀얀 속살들. 벽을 향해 얼굴을 돌리고
볼일을 보던 사람들의 엉덩이는 하얗고 순했다. 그때
그 엉덩이들은 절대 외설스럽지 않았다.

　한번은 미술 시간에 우리 동네를 그리라는
선생님의 말씀에 엉덩이를 그렸다가 야단을 맞았다.
채소를 다듬는 사람이나 술에 취한 사람들을
그리기에는 실력이 모자라서 골목에 나란히 앉아
볼일을 보는 엉덩이들을 그렸을 뿐이었는데….
"다시는 이런 거 그리지 마."
선생님이 말씀하셨고,

"왜요?"

나는 물었다.

"사람한테는 보이고 싶지 않은 게 있어. 어쩔 수 없이 보여도, 남이 못 본 척하고 지나갔으면 하는 게 있는 거야."

선생님이 대답하셨다.

선생님 말씀을 이해하지 못했던 것은 아니었으나 아주 동의할 수는 없었다. 선생님은 사람들이 보이고 싶지 않은 게 '엉덩이'라고 생각하셨겠지만, 내 생각은 달랐다. 나는 사람들이 감추고 싶은 것은 엉덩이가 아니라 얼굴이라고 믿었다. 엉덩이는 부끄럽다고 빨개지거나, 눈물을 글썽이거나, 서러운 표정을 지을 수 없으니까.

초등학교 4학년 때, 엄마가 생선 가게를 한다고 놀림받던 여자애가 한 명 있었다.

"너한테 비린 냄새 나"라고 말하며 몇몇 애들이 코를 막았고, 그 애는 책상에 얼굴을 파묻었다. 나와 다른 아이들은 모른 척 고개를 돌렸다. 한동안 얼굴을 묻고 들썩이던 그 뾰족한 등이 골목의 엉덩이처럼 눈앞에 아른거렸다.

그 무렵 도시에는 새 빌라와 맨션이 들어섰고, 학교에서는 같은 빌라와 맨션에 사는 애들끼리 몰려다니기 시작했다. 그 애들은 방과 후 '가'동과 '나'동 사이에 있는 놀이터에서 놀거나 맨션에서 제일 큰 집에 모여 숙제를 했다.

어느 날 N맨션파 중 한 명이 내게 숙제를 함께

하자고 했다. 말하자면 그들의 무리에 들어갈 수 있는
정식 초대였다. 나는 마음이 살짝 들떴으나 걔가
"너네 집은 어디야?" 하고 묻는 바람에 김이 새고
말았다. 나는 우리 집에서 멀리 떨어진 건물의 이름을
대고, 집에 일찍 가야 한다고 말하며 슬그머니 자리를
피했다. 시장에 산다고 놀림받을까봐 무서웠다.

　방과 후에 희(가명)가 나를 따라온 것은 그
무렵이었다. 맨션파 애들과 멀어져 혼자 걷는데 희가
자꾸 말을 걸며 쫓아왔다. 희와 나는 좋아하는 가수,
노래를 이야기하며 어느새 집에 함께 돌아가게 됐다.
처음에는 우리 동네를 보여주고 싶지 않아서 멀리
돌아갔다. 낯선 동네를 익숙한 척 걷기도 했고, 너무
멀리까지 갔다가 거의 울면서 집에 돌아오는 날도
있었다. 생각해보면 나는 그때 희가 어디에 사는지도
몰랐다. 어느 길로 가도 꼬박꼬박 따라오는 것이
이상하다고 생각해본 적도 없었다. 나는 그저 내가
숨기고 싶은 걸 감추느라 바빴다.

　그러던 어느 날, 희가 내게 물었다.
"넌 왜 매일 먼 길로 돌아가?"

　걔는 내가 어디에 사는지 다 알고 있었던 것이다.
나쁜 년, 빨리 말해주지.

　그래도 희와 함께 걷는 동안에는 먼 길도 지루하지
않게 걸을 수 있었다. 내가 아는 곳보다 조금 더
멀리, 어쩌면 아주 멀리까지도 갈 수 있을 것 같았다.
발아래로 기차가 달리는 다리 위에서 나는 희에게
처음으로 비밀을 털어놓았다.

그러니까 가보지 않은 세계에서 사는 꿈. 오줌 냄새도 없고, 장마철에 슬리퍼를 신고 밖에 나가도 빗물에 쓸려온 무청이나 파 뿌리 같은 게 발가락 사이에 끼지 않는 곳, 그런 곳에서 살고 싶다고. 솔직한 마음을 말하면서도 사실은 열차 소리에 목소리가 반쯤 묻히기를 바랐다. "오… 발꼬락, 무… 파… 아무튼 여기 싫어." 여기까지만 들리길. 그러면 비밀의 내용은 기차와 함께 사라지고, 비밀을 나눈 우리만 남게 되니까. 그러나 희는 어쩌면 귀도 그리 밝았는지. 기차 화통 삶아 먹은 소리로 "발꼬락에 파 뿌리!"를 외치며 깔깔 웃다가 내게 말했다.

"같이 가자!"

"어디를?"

"아무 데나, 네가 가고 싶은 곳이면 어디든!"

우리는 그런 것을 우정이라고 불렀다. 어디든 같이 가는 것. 학교 화장실, 면도칼 씹어 먹는 언니들이 있던 6학년 복도, 기차가 달리는 다리 위, 비가 오면 발가락 사이에 파 뿌리가 끼는 시장, 엉덩이들이 달처럼 뜨는 골목, 우리가 잘 아는 곳, 우리가 잘 모르는 곳, 우리에게서 가장 먼 곳, 어디든.

희와 나는 길을 돌고 돌아 우리 집 앞 골목에서 헤어졌다. 들키기 싫은 마음을 다 들키고 난 후에, 감추고 싶은 마음을 다 털어놓은 후에 도착한 곳은 매번 그 골목이었다.

"안녕."

나는 인사를 하고 재빨리 집에 들어와 유리창
너머로 희를 봤다.

희는 내가 집에 들어갈 때까지 골목에서 기다렸다가
길고 가는 다리로 성큼성큼 되돌아갔다. 나는 희의
뒷모습을 보면서 유리창에 괜히 '안녕'을 적었다.
015B, 신승훈, 윤상, 이승환의 감성으로. 수목드라마
미니시리즈에서 보고 배운 대로 입김을 호~ 불고
'안녕'이라고 쓰면, 글자 너머로 희가 사라졌고, 희가
사라진 골목을 보고 있노라면 마음이 조금 이상했다.
내일 또 볼 거면서. 내일 보면 다시 '안녕', 손을 흔들며
인사할 거면서.

한번은 학교에서 돌아오는 길에 희에게 말했다.
"내가 데려다줄게."

나는 희가 어디에 사는지 몰랐고, 걔가 한 번도
나를 자기 집에 초대하지 않는 것을 은근히 서운하게
생각하고 있었다. 희는 나의 제안을 단칼에 거절했고,
나는 그런 식으로 호의를 거절당하자 당황하고
민망해서 화가 났다. 우리는 몇 번 실랑이하다가 길
한복판에서 멈춰 섰다. 내가 싫어하는 희의 표정이
언뜻 보였다. 차갑고 고집스러운 표정, 걔가 그 표정을
하고 입을 꾹 다물고 나를 노려봤다(나중에 희는 노려본
게 아니라고 했지만).
"그게 왜 싫어?"
라고 물었지만, 또 그 표정.

우리는 인사도 하지 않고 그 길에서 헤어져 각자

집으로 돌아갔다.

  그날은 저녁 내내 창가에 서서 희 없는 골목을
바라보며 어쩐지 분하고 억울한 마음에 유리창에
크게 적었다.

"나쁜 년. 서태지 망해라."

  희와 싸우고 말을 섞지 않는 것은 아쉬울 것
없었지만, 쉬는 시간에 걔네 엄마가 간식으로 싸준
토스트를 얻어먹지 못하는 건 눈물 나게 서러웠다.
희가 내게 "한 입 먹을래?" 하고 물어봐주기만
기다렸는데…, 걔는 등을 돌리고 혼자 다 먹었다.

  나는 그 토스트만큼 맛있는 빵을 어디서도 먹어
본 적이 없다. 꿀은 아니고, 설탕물에 적셨는지
눅눅하고 달짝지근하고 고소했던…, 토스터에 구워서
버터를 올린 게 아니라 프라이팬에 콩기름을 둘러
구우면 그런 맛이 날까? 한 입 베어 물면 입술이
번들번들해지고, 손으로 떼어 먹으며 공부를 하면
책이고 책상이고 죄다 기름얼룩이 번들거렸다.
그렇게 맛있는 걸 혼자 먹다니…. 그건 절교 선언이나
다름없었고, 약이 바짝 오른 나는 희 앞에서 걔가
갖고 싶어 했던 워크맨에 듀스 2.5집 테이프를 넣고
플레이 버튼을 눌러 혼자 음악을 들었다. 한겨울에
〈여름 안에서〉를 흥얼거리면서. "하늘은 우릴
향해 열려 있어~ 난 너를 사랑해, 난 너를 사랑해"
서태지를 좋아하는 희 앞에서 듀스 춤이라도 추고
싶었는데…. 이게 다 토스트 때문이었을까?

  그렇게 며칠 동안 말을 섞지 않고 혼자 집에

돌아가던 어느 날, 희가 나를 불렀다.

"유진아! 우리 집에 갈래?"

"그래."

대답하는 데 3초도 걸리지 않았다.

희는 걸음이 빨라서 약수터 가는 아빠를 뒤따라갈 때만큼이나 헐떡이며 쫓아가야 했다. 나를 따돌리려고 일부러 빨리 걷는 것 같았다. 같이 가자고 할 때는 언제고 마음이 바뀐 것이라고 생각했다. 사람의 마음이란 게 원래 좀 이상하지 않나. 같이 가고 싶기도 하고, 떼놓고 가고 싶기도 하고, 들키고 싶기도 하고, 감추고 싶기도 하고. 그러나 희를 더 알고 싶었던 나는 약수터를 오르며 단련된 걸음으로 뒤를 바짝 쫓았다. 희는 조금 더 빨리 걷다가 이를 악물고 따라오는 나를 힐끗 보더니 이내 속도를 늦췄다. 우리는 어느새 나란히 걷고 있었다.

희네 집에 가는 길에 시장을 지나쳤다. 시장을 뒤로 하고 어디론가 간다는 사실이 묘하게 설렜다. 다리도 건넜다. 여느 때처럼 기차가 지나갔고, 기차가 지나갈 때 희가 손가락으로 먼 곳을 가리키며 무슨 말을 했는데 잘 들리지 않았다. 집마다 담장 위에 사이다병 조각을 심어놓은 골목도 지났다. 슈퍼에 들러서 자갈치도 샀다(남의 집에 빈손으로 가는 거 아니라고 배웠으니까). 그렇게 한참을 걷다가 희가 어느 낡은 빌라 앞에서 걸음을 멈췄다.

"여기야, 우리 집."

희가 작은 목소리로 말했다.

희가 사는 빌라는 빌라이긴 한데 우리가 다리 위에서 상상하거나 부러워했던 그 빌라는 아니었고, 빌라이긴 한데 뭐가 다르다고 설명할 수는 없지만 내가 아는 빌라와도 달랐다. 나는 딱 이 모호하고 복잡한 설명만큼 이상한 기분을 느끼며 낙서 가득한, 어두운 계단을 한 칸씩 올랐다. 어느 집 문에는 빨간 매직으로 글씨가 적혀 있었다. 사람이 사는 집에 시험지에 점수를 주듯 빨간색으로 글씨를 썼다는 사실이 그때 내게는 적잖은 충격이었다.

"여기 누가 살아?"

나는 그 집을 가리키며 희에게 물었고, 희는 대수롭지 않다는 듯 고개를 끄덕이며 말했다.

"어디든 사람은 다 살아."

희의 집은 빨간 글씨로 낙서돼 있던 집 위층이었다. 문을 열자 거실에 앉아 계시던 할머니가 우리를 맞이해주셨다. 나는 하얀 머리카락에 하얀 털이 달린 조끼를 입은 할머니를 보면서 이상한 나라의 앨리스에 나오는 토끼를 떠올렸다. 이제 토끼를 따라 집 안으로 들어가면 낯선 세계의 낯선 아이가 될 것 같았다.

할머니가 희에게 손을 뻗어 가방을 받으려고 하자 희가 신경질을 내며 뒷걸음쳤다.

"우리끼리 놀 거야."

아마 그렇게 말했던 것 같다. 할머니는 말없이 뒤로 물러났고, 희는 이유 없이 화를 냈다. 그날 희는 정말 낯설었다.

희의 방은 이불이 깔끔하게 접혀 있었고, 교자상
하나와 옷걸이가 전부였다. 희는 그 낮은 상에서
숙제를 한다고 했다.

"숙제할래?"

희가 물었는데 대답을 못 했다. 교자상이 너무
작아서 두 사람이 노트를 제대로 펼 수 없을 것
같았다. 나는 어색하게 앉아서 상 위에 노트 대신
과자 봉지를 펼쳤다.

"자갈치 좋아해?"

내가 물었고,

"아니, 나는 오징어집."

희가 대답했다.

"진즉에 말하지."

"네 마음대로 샀잖아."

희는 괜히 짜증을 냈다. 우리는 한동안 말없이
자갈치를 집어먹었다. 한 봉지를 다 먹을 때쯤
할머니가 방문을 열었다.

"밥들 먹자."

희가 거실로 나갔고, 나는 희를 쪼르르 따라나섰다.

할머니가 차려주신 상에는 청국장과 생배추,
열무김치가 있었다. 희는 화난 얼굴로 고개 한번
들지 않고, 말 한마디 하지 않고 밥을 먹었다. 어색한
분위기가 흘렀고, 나는 생배추를 어떻게 먹는지
몰라서 배춧잎 한 장을 두 손으로 들고 아작아작
씹어 먹었는데, 할머니가 그런 나를 보고 웃으며
말씀하셨다. "꼭 토깽이 같네." 할머니는 눈을 꼭

45

감고 빠진 치아 사이로 배추와 열무를 힘들게 씹어 드셨고, 그 모습을 보던 희도 눈을 질끈 감았다. 나는 그때마다 아무것도 못 본 척 크게 틀어놓은 TV를 향해 고개를 돌렸다. 가요 프로그램에서 서태지가 나오고 있었다.

희네 집을 나오는데, 할머니가 배추 한 통을 주셨다. 시장에서 자랐지만 그런 걸 내 손에 쥐어 본 적 없었던 나는 당황하며 배추를 꼭 끌어안았다. 배추가 그렇게 무거운 거였던가. 집에 돌아오는 길에 희와 내가 그걸 번갈아 나눠 들었다. 우리는 청국장이나 배추, 할머니에 대해서는 한마디도 하지 않았고, 자갈치와 오징어집 둘 중에 무엇이 더 맛있는지, 서태지와 아이들과 듀스 중에 누가 더 춤을 잘 추는지 진지하게 토론했다. 우리는 그런 주제라면 밤새 싸울 수도 있었고 나는 얼마든지 희를 이길 자신이 있었지만, 희가 배추를 들어주지 않고 저번처럼 나를 두고 혼자 돌아갈까봐 꾹 참았다. 희는 늘 그랬듯 우리 집 앞까지 와서 내가 들어가는 것을 보고 나서야 발걸음을 돌렸다. 나는 창가에 서서 배추를 안고 희의 뒷모습을 봤다. 희가 사라질 때까지. 자꾸 보고 있으면 희가 다시 올 것 같았다.

그 후에도 우리는 한동안 함께 골목과 시장을 걸었고, 다리를 건넜다. 희가 사는 빌라의 계단은 세 번 정도 더 올라갔던 것 같다. 두 번째 갔을 때는 빨간 글씨로 낙서가 되어 있던 집이 빈집이 됐고, 희의 토스트는 엄마가 아니라 할머니의 솜씨이고,

희는 아주 어릴 때부터 할머니가 끓여준 청국장에 생배추를 먹으며 자랐다는 사실도 알게 됐다. 세 번째 갔을 때는 작은 교자상에서 노트를 반으로 접으면 두 사람이 충분히 숙제를 할 수 있다는 것을 배웠고, 오징어집과 자갈치를 섞으면 바다칩이 된다는 것을 깨달았다.

희네 집에 갔다가 돌아오는 길에는 늘 커다란 배추 한 포기가 손에 들려 있었다. 엄마는 내가 들고 온 배추로 된장국을 끓여줬지만 나는 잘 먹지 않았다. 배추는 날것으로 먹어야 달달하고 맛있다는 것을 알았기 때문이다. 그러니까 그건 눈을 감고, 까만 입속에서 부딪치는 치아를 찾아 더듬더듬, 눈 뜨면 코앞에 어른거리는 불행을 내쫓으며 먹어야 한다는 것을.

희와 멀어진 게 언제쯤인지 잘 모르겠다. 학년이 올라가고 반이 바뀌면서 내게 다른 친한 친구들이 생겼고, 희도 어느새 다른 애들과 가까워졌던 것 같다. 그사이 서태지는 돌연 은퇴를 해버렸고 듀스도 해체했지만, 나는 이내 다른 가수를 좋아하게 됐다. 우리는 그렇게 어린 여자아이들이 만나고 가까워지고 헤어지는 그 레퍼토리 그대로 멀어졌다.

중학교 때 희가 집 앞에 찾아온 적이 있었다. 단발에서 숏컷이 된 희는 이제 나보다 키가 작았고, 안경을 쓰고 있어서 어쩐지 다른 사람처럼 보였다. 희는 우리가 막 친해졌을 무렵 나눠 썼던 교환

일기장을 배추처럼 품에 안고 나타났다. 서로의
게으름 탓에 몇 번 오가지 못하고 잊어버렸던
그 노트를 희가 꼬박 다 채워 왔다. 혼자서…,
교환 일기장이었는데.

　물론 매번 꼼꼼하게 쓴 글은 아니었다. 어느 날은
두세 줄이 전부이기도 했고, 어느 날은 뭐라고 썼는지
알아보기 힘든 글씨로 내게 서운했던 마음을 적어
놓기도 했다. 마지막 장에는 '앞으로도 잘 지내보자'
라는 상투적인 문장이 적혀 있었다. 그리고 거기까지
다 읽고 덮으려고 했는데, '안녕'이란 글자가 눈에
들어왔다.

　안녕.

　희의 입술을 작게 떠났을 그 말이 내 귓가에 너무
커다랗게 울렸다.

　희는 작게, 아주 작게 '안녕'이라고 적어놓았다.
행여 '안녕'이란 말이 상처가 될까 걱정하는 사람처럼,
마치 '안녕'이란 말에 상처받아본 사람처럼.

　희가 준 일기장은 오래전에 잃어버렸다. 나는 희와
나눴던 우정을 또 누군가와 나눴고, 희와 그랬던
것처럼 별 이유 없이 멀어지고 또 새로운 사람과
가까워지기를 거듭했다. 사람을 만나고 헤어질 때마다
찾아오는 '안녕'이란 말은 꼭 유리창에 입김을 불어
쓴 글씨 같아서 어떤 온기에 나타났다가 식은 공기에
사라지곤 했다.

　얼마 전에 희가 살았던 집 앞을 걸었다. 곧 재개발될

거라는 그 동네와 빌라에는 여전히 누군가 살고
있었다. 나는 희의 할머니가 허리를 겨우 펴고 밖을
내다보시던 창문을 어렵지 않게 찾아낼 수 있었다.
알록달록한 빨래가 널려 있는 집, 아이와 어른이
살고, 저편의 삶을 꿈꾸는 거기. 그 집 창문을 가만히
올려다보고 있노라니 오래전에 누군가 써 놓았던
글씨가 희미하게 보이는 듯했다. 식은 마음에
잃어버렸던, 그러나 다시 입술을 동그랗게 모으고
호~ 불면 나타나는 그 말.

안녕.

그 여름의 끝

올여름은 온통 과거형으로 살았다. 부모님 댁에
리모델링 공사가 시작됐고, 그 집에 남겨둔 내 짐들이
하나씩 돌아오면서 매일 과거를 만났다. 옛날 책,
사진, 물건. 버릴 것들을 버리고, 차마 버리지 못한
것들은 상자에 담았다. 그중 편지 몇 장은 봉인하기
전에 지금도 연락이 닿는 수취인들에게 사진을 찍어
보냈다. '너희들이 저지른 만행의 증거물을 받아라'
라는 메시지와 함께.

편지에는 귀여운 글씨로 적힌 욕설, 종말이 온다는
예언, 상스럽고 뜨거운 고백이 있었다. 쓴 사람도,
읽은 사람도 떠난 시간 동안 혼자 덩그러니 남은
말들은 시간을 가둬놓았다가 펼치는 순간 무섭게
쏟아졌다. 사진에 찍힌 편지를 보고 수취인들은
아이가 볼까 무섭다며 빨리 태워버리라고 말했지만,

나는 그럴 마음이 없었다. 한국어 초급반인 반려인 마르땅은 그 암호 같은 말들을 이해할 수 없을 것이고, 반려견 이안이는 글씨를 읽지 못하니까. 나는 비밀을 마음껏 펼쳐놓을 수 있다.

모두 미래형으로 적힌 과거들이다. 그 편지 속 나는 조르바처럼 자유로운 인간이고, 서른 즈음에는 매일 그리스 어느 섬의 바닷가를 달린다. 그리스에 대한 환상이 완전히 깨진 지금의 내게는 너무 아찔한 예언이다. 미코노스에서 한 달을 사는 동안 겪었던 그 미친바람과 관광지의 소란, 섬 생활의 지루함은 돌아가고 싶을 만큼 매력적이진 않았다. 게다가 조르바라니, 내게는 이제 그 뜨거운 자유를 누릴 체력이 남아 있지 않다. 그러니 분명 아쉽지 않은 미래다. 다만 청량하게 울리는 미래형 동사들은 어쩐지 훔쳐오고 싶은데…. 그러고 보니 이제 나는 미래 시제를 잘 쓰지 않는다. 미래에 대해서라면 별로 할 말이 없다. 궁금하지도 않다. 아주 높은 확률로 나는 그냥 나로 살아갈 테니까.

여름 끝에는 편지를 핑계 삼아 친구 지영이(가명)를 만났다. 서로 다른 생활 방식과 코로나 탓에 몇 달 만의 만남이었다.

열일곱 살의 지영이는 하트가 그려진 핑크색 편지지에 하늘색 젤펜(그 당시에는 젤리펜으로 불렀다)으로 정성스레 쓴 편지를 내게 주곤 했다. 'Dear'로 시작해서 욕설로 끝나는 글들이 대부분이었는데, 하이틴 변태 로맨스 소설 같았다. 나는 지영이가 퇴폐미 넘치는 여주인공이 등장하는 소설 작가가 되리라 생각했었다. 물론 내 예언은 빗나갔고, 지영이는 국어 선생님이 됐다.

지영이에게 편지를 받은 날에는 나도 답장을 쓰려고 동네 문구점에서 편지지를 샀다. 내 취향도 아닌 핑크색, 그것도 하트가 그려진 걸로. 물론 그것은 내가 지영이에게 줄 수 있는 최대치의 우정이었다. 그 시절의 취향이란 이름 같은 것이었고, 나는 걔가 기뻐하는 얼굴을 생각하며 기꺼이 내 이름을 포기할 수 있었으니까. 분홍색 하트 편지지, 하늘색 바탕에 구름이 둥둥 떠다니는 편지지, 긴 머리의 소녀가 우체통 옆에 앉아 편지를 기다리는 일러스트가 그려진 편지지. 생각만 해도 볼이 발그레 달아오른다.

나는 우정에 취해 필사적으로 편지를 썼다. 수업 시간에 몰래, 시험 기간에 공부하는 척하면서 또 몰래. 몰래 쓸 내용도 아닌데, 어쩐지 비밀스러웠던 그 편지들은 대체로 '야'로 시작해서 'P.S. 노래 가사'로 끝났고(노래 가사는 왜 썼을까?), 은밀한 고백이나 마음을 흔들 만한 이야기는 없었지만 그저 눈앞에 있는 모든 것들이 글자가 됐고 이야기가 됐다(선생님의 넓은 이마와, 창문 밖 날씨, 같은 반 날라리의 머리핀 등등). 그러니까 그 편지들은 지루한 시간이 잘 흐르도록 돕는 윤활제였고 동시에 무엇인지 모를 힘에 등 떠밀려 앞으로 가는 동안 힘주어 움켜쥔 우리의 손깍지였다.

지영이와 나는 편지를 주고받으며 밀레니엄 시대의 네눈박이가 됐다. 내가 본 것과 지영이가 본 것이 매일 포개졌고, 꼭 맞는 그림을 발견하면 기뻤고, 다른 그림을 눈치챌 때면 그 이질감에 잠시 얼음이 됐다가도, 어느새 각자의 종이를 펼쳐놓고 빠진 그림들을 채워 넣었다. 그렇게 네 개의 눈으로 부지런히 세상을 당기고 밀어내며 기록했던 그 불온한 편지들은 우리가 성인이 되면서 흐지부지 끝났다. 우리는 필요한 말이 생기면 편지 대신 문자를 주고받았고, 술을 마시면서 할 말을 영영 다 못하거나, 하지 말았어야 할 말로 서로에게 상처를 주기도 했다.

지영이를 만나기로 한 날은 날씨가 제법 선선했고, 거리에는 오랜만에 사람들이 붐볐다. 지영이가 인파 속에서 소재가 가벼워 보이는 스커트를 살랑살랑 흔들며 걸어왔다. 그러고는 나를 발견하고 어깨에 닿을 듯 말 듯한 머리카락을 살포시 귀 뒤에 꽂으면서 웃었는데, 나는 그 모습이 웃기면서도 또 무서웠다. 저렇게 살다가는 병이 나지 않을까…, 괜한 걱정도 해보고. 지영이는 나를 보자마자 내가 인스타그램에 '하트'로 댓글을 다는 게 징그럽다고 했다. 그런 건 나와 어울리지 않는다며, "너 그렇게 살다가 병난다"라고 말했다. 나는 지영이에게 그러면 나랑 어울리는 게 뭐냐고 물었고, 걔는 재수 없는 미소를 지으며 '밀레니엄스러운 것'이라고 대답했다.

그러니까 세상이 뒤집어질지도 모르니 막 살아보자던 세기말 감성 같은 것. 그렇게 우리는 오랜만에 길바닥에 서서 이상한 소리로 서로 배꼽을 잡고 웃었다. 그런데 밀레니엄이라는 말, 그 미래지향적 단어에서 왜 그렇게 오래된 냄새가 날까. 그 미래는 언제 우리를 비껴갔을까.

나의 밀레니엄 친구, 지영이와 맥주를 마셨다. 테라스에 머물기 좋은 여름밤이었다. 우리는 이국적인 이름의 맥주들이 있는 메뉴판을 보면서 무엇을 마셔야 할지 몰라 당황했다. 편지지를 고르는 일이라면 쉬웠을 텐데, 새삼스럽게 서로의 맥주 취향을 묻는 일은 왜 그렇게 웃기던지. 그게 마치 이제 와서 "너는 어떤 사람이야?"라고 묻는 일 같아서 쑥스러웠다. 나는 지영이를 오래 알았지만, 지영이의 맥주 취향이나 커피 취향 같은 것은 잘 몰랐다. 우리가 술집을 함께 다닐 때는 국산 맥주와 수입 맥주가 전부였고, 카페를 다닐 때는 인스턴트 커피와 원두 커피가 전부였다. 내가 아는 지영이의 취향은 분홍색 편지지와 하늘색 젤펜에서 멈춰 있다. 그런 것을 생각하면 어떤 시간은 아주 오래 고여 있기도 한 것 같다.

맥주를 마시는 동안 맨날 하던 이야기를 또 했다. 지영이는 국어 선생님답게 "야, 우리 과거형으로만 말한다, 과거형 인간이네"라고 말했고, 나는 조금 머쓱해져서 옛날이야기는 그만하자 해놓고, 할 말이 없어져 잠깐 지영이의 얼굴만 멀뚱히 바라봤다.

침묵이 어색한 사이는 아니었지만, 말과 함께 표정이
사라진 지영이의 얼굴이 이상하게 낯설었다. 얘가
이렇게 생겼었던가? 눈, 코, 입에 물음표를 찍고
보니, 문득 지금까지 내가 본 지영이의 얼굴이
과거의 잔상이었을지도 모른다는 생각이 들었다.
내가 잘 안다고 믿었던 그 얼굴이 이제는 없는 게
아닌지. 그러고 보니 최근에 비슷한 경험을 했다.
거울을 보다가 내가 아는 나의 얼굴이 아니라서
깜짝 놀라기도 했고, 우연히 찍힌 사진에 "이건 내가
아니야"라고 말한 적도 있었다. 마치 내가 아직
지금의 '나'에게 당도하지 못한 것처럼.

　　한동안 말없이 맥주만 마시던 지영이는 학교생활을
이야기하기 시작했다. 요즘 아이들이 좋아하는 가수는
누구고, 아이들이 좋아하니까 관심을 두고 지켜보다가
자신도 그 가수가 너무 좋아져서 팬클럽에 가입했고,
그 일에 큰 활력을 얻고 있다는 것이었다. 나는 걔가
그렇게 좋은 선생님이라는 것과 열일곱 살에 그랬던
것처럼 여전히 누군가의 팬이라는 사실에 조금
놀랐다. 지영이는 우리가 처음 교실에서 만났던 날,
"너는 가수 누구 좋아해?"라고 물었던 것처럼,
"너는 요즘 뭐가 좋냐?"라고 물었다. 나는 내가
좋아하는 것들을 하나씩 꺼냈다. 산책, 강아지, 천천히
먹는 아침 식사, 해 질 무렵의 암자, 비 온 뒤 걷는
숲의 냄새. 내 이야기를 듣던 지영이의 얼굴이 분홍색
편지지처럼 환해졌다.

　　"참 좋다."

지영이가 말했다. '좋다'라는 말, 지금 우리에게 얼마나 어울리는 온도인지! 나는 고개를 끄덕였다. 나 역시 우리가 여전히 좋아하는 쪽으로 걸음을 옮기고 있다는 게, 무언가를 더 유연하게 꾸준히 좋아하고 있다는 게 정말 좋았다.

나는 지영이에게 매일 산책하며 본 것들을 이야기했다. 규칙적인 생활을 하니 늘 같은 장소에서 다른 풍경을 목도하게 되고, 계절을 조금 더 생생하게 체감할 수 있다고 말했다. 지영이는 그런 내 말에 귀 기울이며 우리 집 강아지와 산책로와 계절을 머릿속으로 그려보는 듯했다.

"요즘 다시 해가 짧아지기 시작했어. 저녁 여섯 시 오십 분 쯤이었나, 해가 지면서 갑자기 하늘이 오렌지색으로 뒤덮이더라고."

거기까지 말했을 때, 지영이 활짝 웃으면서 외쳤다. "나도 봤어!"

예전에 "나 걔가 너무 좋아!"라고 말하면 "나도, 나도!"라고 손뼉을 치며 대답했던 것처럼.

나는 다음 말을 기다리는 지영이를 가만히 보다가 해야 할 말을 완전히 잊었다.

"그래서 너무 좋았다고."

할 말은 그게 다였다.

싱겁다고 욕을 먹을 줄 알았지만 지영이는 배시시 웃었고 나는 여기, 우리가 마주한 이 시간이 과거와 미래 사이에 있는, 그러나 현재라고 딱 잘라 말할 수 없는 모호한 어디쯤인 것 같다고 생각했다. 그리고

그런 생각을 지영이에게 말해볼까 망설이다가,
역시 그런 말은 편지에 적는 게 좋지 않을까, 여름이
완전히 가기 전에 지영이에게 편지를 써야겠다고
혼자 다짐했다.

　맥줏집을 나와 둘이서 느릿느릿 거리를 걸었다.
한복을 입고 사진을 찍는 커플들과 추억의 교복을
입고 포즈를 취하는 여자애들이 있었고, 순간은
더딘데 돌아보니 너무 많은 것들이 빨리 지나가는 게
조금 이상하다는 대화를 나눴다.
"여름이 다 갔다."
　지영이의 말에 무심코 하늘을 봤는데, 거기 또
여름 끝에 오렌지색 하늘이 있었고, 그게 너무 예뻐서
사진을 찍으려고 가방을 뒤지다가 "어, 핸드폰이 안
보인다, 거기 두고 왔나" "잘 찾아봐. 넌 맨날 질질
흘리고 다녀" "어어! 해가 진다" 하는 사이에…,
해가 정말 완전히 져버렸다.
　그리고 여름이 끝났다.
　그 일은 또 과거가 됐다.

　늦가을이다. 요즘 해는 흐린 하늘 속에서 조용히
사라진다. 그런 풍경을 보고 있으면 문득 여름의
지영이가 떠올라서 톡을 보낸다. 또 보자, 곧 보자,
조만간 보자 말했는데, 아마도 추운 계절이 되어 만날
모양이다. 그래도 만날 거니까, 지금은 기다린다.
핑크색 편지지를 펴고 하늘색 젤펜으로 사이토
마리코의 문장을 한 줄 적는다.

현재란 단순히 지금이 아니라 과거와 미래
사이에서 누군가가 줄기차게 계속하고 있는 연습의
시간인지도 모른다.*

그리고 내 연습의 시간에 지영이 네가 있어
다행이라고 적었다가…, 아무래도 좀 유치하다
싶어서 편지를 구긴다. 언제나 정말 하고 싶은
말은 구겨진 편지지에 있었고 하늘색 젤펜으로는
상스러운 말들만을 적었지만, 우리는 결국 그 속뜻을
읽어냈으니까. 그러니 지금은 우리가 징그럽게
들었던, 목청껏 부르면 미래의 우리에게 닿을 것만
같았던 그 노래들을 적어본다. 느닷없이 영어가
나오고, 앞뒤 문장이 문맥에 맞지 않는 그 가사에서
다시 미래 시제의 어떤 말들을 찾아낼 수 있지
않을까.

* 박솔뫼 장편소설 『미래 산책 연습』(문학동네, 2021)에
사이토 마리코가 쓴 「추천의 말」에서 발췌.

엄마의 창문

엄마가 왔다. 엄마의 손에는 얼린 생선, 옥수수, 떡이
들어 있는 보따리가 들려 있었다. 우리는 말없이
보따리를 풀었고, 엄마는 냉장고 문을 열어 그것들을
순식간에 정리했다. 엄마의 손은 여전히 야무지고
빠르다.

"딱 너 좋아하는 것만 가져왔어."

엄마가 말했다.

엄마는 외할머니의 냉장고를 닥닥 긁어서 내게
가져왔다. 할머니가 요양원에 들어가시게 되어 집을
정리해야 한다지만, 그런 걸 내게 가져오는 마음은
뭘까? 나는 죽어도 알 수 없다.

"할머니는 잘 가셨어?"

"응."

엄마가 옥수수 하나를 들고 식탁에 앉았다. 엄마는
우리 집에 오면 자연스럽게 식탁에 앉거나 주방을
서성인다. 마치 그 몸은 그 공간을 위해 재단된 것처럼.

나는 여중, 여고를 다녔고 친구들은 모두 여자애
들이었다. 우리 대부분은 주방을 탈출하는 삶을
꿈꿨다. 나만의 공간을 갖고, 자기만의 일이 있고,
자신의 이름을 잃지 않는 사람이 되는 것. 엄마들
때문이었다. 모두를 위한 공간에서 모두를 위해 그
모두에서 자신을 빼며 사는 여자들 때문에. 요즘도
그럴까? 요즘 엄마들은 어디에 머무르는지
잘 모르겠다.

결혼 5년 차인 한 친구는 직장에서 주방으로
돌아간(어린 시절 걔네 엄마처럼) 삶에 만족한다고
했다. 어차피 '남'을 위해서 일해야 하는 게 인간의
운명이라면 내 가족을 위해 일하는 게 낫다고. 무척
설득력 있는 말이라고 생각했다. 주방이 아니어도
사무실을, 서재를, 카페를 주방처럼 배회해본 적이
있었으니까. '모두'라는 커다란 원에서 자꾸 나를 빼는
삶. 인간관계, 타인, 약속, 모두 중요한데 거기서 나만
쏙 빠진 그런 삶을 나 역시 경험해본 적 있다.

여하튼 나는 주방만큼은 탈출했다(또 다른 장소에
매여 있지만). 요리를 좋아하는 남자와 사는 덕분이고,
여전히 내 주방을 서성이는 엄마 덕분이기도 하다.
그러니까 내 탈출은 온전히 내 힘으로 이룬 것은
아니다. 엄마가 엄마의 의지로만 주방에 머물렀던 게
아니었듯이.

식탁에 앉은 엄마는 옥수수를 먹었다. 정해진 식사 시간이 아니라 아무 때나 옥수수, 고구마, 빵 같은 것을 먹는 엄마의 모습은 익숙하다. 의자에 앉아서도 좌식 생활 방식을 버리지 못하고, 의자에 다리 한쪽을 올린 채, 고개를 숙이고 구부정한 자세로 소리를 내며 음식을 먹는다. 누군가와 함께 먹는 것보다 혼자 먹는 게 더 익숙한 자세, 모두 밥을 먹고 난 후에 혼자 남아 잔반 처리를 맡아온 사람의 자세이기도 하다. 나 역시 스물다섯 살 때까지는 엄마와 똑같은 자세로 밥을 먹었다. 의자 위에 올린 다리에 턱을 괴고 몸을 구부리고 있으면 이상하게 안정감이 들었다.

자세를 바꾼 것은 시어머니가 생기고 난 이후였다. 시가에서는 식사 예절을 강조했다. 언젠가 시어머니와 마르땅이 다투는 것을 본 적이 있다.

"허리를 펴고 앉아. 네가 아니라 포크가 네 입으로 가는 거야. 음식 먹을 때 소리를 내는 건 어디서 배운 야만적인 짓이야. 도대체 어릴 때부터 몇 번을 말해도 듣지를 않니?"

살면서 적어도 만 번쯤 들었을 그 충고를 마르땅은 귓등으로도 듣지 않았다. 그리고 놀리듯 어머니에게 말했다.

"하지만 한국에서는 후루룩 소리를 내면서 먹어야 맛있게 먹는 건데."

정확한 이유는 모르겠지만 내 얼굴이 빨갛게 달아올랐다. TV 광고에서 모델이 '후루룩' 소리를 내며 라면 먹는 걸 보고 깔깔 웃던 마르땅의 모습이

스쳐지나갔다.

"유진은 그러지 않잖아."

시어머니가 반박했다.

"아니야, 유진 빼고 유진 식구들은 다 소리를 내면서 밥 먹어."

마르땅이 말했고, 나는 그 순간 그의 입에 팔뚝만 한 바게트 하나를 쑤셔넣고 싶었다.

음식을 소리 내면서 먹는 건 야만적이라는 말, 왜 그런 말은 내게 남아서 엄마가 쩝쩝 소리 내며 옥수수를 먹는 모습을 좋아하지도 싫어하지도 못하게 만들까.

나는 시어머니가 허리를 반듯하게 세우고 완두콩 한 알을 포크로 찍어서 입에 넣는 모습을 볼 때면 가끔 속이 꼬였다. 우아한 척한다고 생각했다. '야만적이다'라는 말의 복수였는지도 모르겠다. 그리고 누군가를 만나 밥을 먹을 때면, 나 역시 내가 본 시어머니의 모습을 흉내냈다. 야만적이라는 소리를 듣고 싶지 않았기 때문이다. 특히 저 동양 아이는 무엇을 어떻게 먹나 호기심 가득한 눈으로 바라보는 사람들 앞에서만큼은 더욱이.

시어머니는 저녁 식사가 끝나면 럼주나 위스키가 담긴 잔을 들고 거실로 가신다. 그사이 설거지 및 부엌 정리는 시아버지의 몫이다. 시가의 남자들은 모두 주방을 좋아한다. 그 안에서 창작하듯 요리하고, 싱크대며 가스레인지며 냉장고를 깨끗이 관리한다.

그리고 자신의 노동으로 반짝거리는 그 공간을 자랑스러워한다. 우리 집에서는 있을 수 없는 일이다. 내가 어릴 적 우리 집 남자들은 어쩌다 '도움'을 줄 수는 있어도 주방에서 주체적으로 움직이는 일은 없었다. 온 가족이 모이는 명절에 그들은 붙박이장처럼 앉아 있었고, 그럴 때마다 나는 그들의 엉덩이에 폭죽을 터뜨리는 상상을 하곤 했다. 폭죽이 빵 터지면, 그 달라붙은 엉덩이들이 조금은 들썩일까 싶어서.

시어머니는 남자들이 주방에서 일사불란하게 움직이는 동안 소파에 비스듬히 앉아 식후주를 마셨다. 시어머니의 손에는 늘 라캉(Jacques Lacan) 또는 융(Carl Gustav Jung)과 관련된 책이 들려 있었는데, 아주 어릴 때 불안의 근원을 이해하기 위해 심리학 공부를 시작하셨다고 했다. 결혼을 하고 아이를 낳은 후에 다시 공부를 시작해 석사 과정을 거쳐 심리분석가가 되셨다. 아동심리치료사로 평생 일하셨고, 지금은 퇴직하셨지만 가끔 강의를 나가시기도 한다. 시어머니의 서재에는 평생 공부하고, 분석하고, 컨퍼런스에 다니며 수집한 모든 것을 기록한 백여 권의 노트가 있다. 가끔 온 가족이 술잔을 들고 둘러앉아 그 노트들을 함께 읽었는데, 거기에 적힌 내용을 들을 때면 정신이 아득해졌다.

우리 가족이 둘러앉아 무언가를 마실 때는 일 년에 한두 번, 미스코리아 선발대회와 연말 시상식을 볼 때였다. 그때도 물론 아빠는 없었고, 우리는 치킨에

콜라를 마시며 밤늦도록 아빠의 귀가를 기다렸다.
TV에서는 과도한 업무와 피로에 시달리는 가장들을
위한 피로회복제 광고가 나왔다. 할머니 할아버지는
"아빠한테 잘해야 한다" "너희들을 위해 땀을 뻘뻘
흘리며 일하느라 집에도 제때 못 들어온다"라고
말했지만, 정작 집에 돌아온 아빠에게는 땀 냄새 대신
진한 술 냄새와 싸구려 향수 냄새와 화장품 냄새가
났다…. 엄마를 울렸던 그 냄새들.

　아빠가 술 취해 잠든 날, 엄마는 밤새 책을 읽었다.
결혼한 후에도 언제나 어렵고 낯선 남편이라는
타인과 부모가 아니지만 부모처럼 섬겨야 하는
절대복종을 강요하는 시부모님을 이해하기 위해서,
결혼이라는 틀에서 정서적, 심리적 탈출을 시도하기
위해서. 엄마의 책장에도 프로이트와 융과 라캉이
있었고 그 책들은 모두 주방에서 읽혔다. 책에서는
종이 냄새와 마늘 냄새, 양파 냄새, 그리고 포근한
냄새가 났다. 엄마 냄새, 종이처럼 얇은 엄마의 품에
달려들면 나를 꼭 안았던 그것.

　우리 집 식구 중 어느 누구도 이해하지 못했던
그 책에 엄마는 그때그때 떠오르는 말들을 적었고,
나는 심리학을 모르지만 거기에 적혀 있던 엄마의
글씨들을 암호처럼 해독하며 놀았다. 어려운 단어,
끊긴 문장, 흘려 쓴 글씨, 그게 무엇이든 하나의
문장으로 점철된다는 것을 잘 알고 있었다. 그러니까
"나는 내가 없습니다"라는 말.

"엄마, 천천히 좀 먹어. 다 흘리지 말고."

엄마 얼굴에 붙은 옥수수 알갱이를 떼어주며
말했다. 엄마는 웃었다. 아이 같기도 하고, 노인
같기도 했다. 나와 닮기도 했고, 나와 다르기도 했다.
엄마는 내게 가장 어려운 타인이다. 아주 타인일 수도
완전히 나일 수도 없어서 힘든 사람.

옥수수를 금세 해치운 엄마가 벌떡 일어나더니
집 구석구석을 치워주려고 했다.

"엄마 왔을 때 하자. 넌 그냥 가만히 있어."

엄마가 말했다.

"엄마, 오늘 같은 날 꼭 그래야겠어?"라고 묻자,
엄마는 내가 제일 어려워하는 그 얼굴로, "그건
그거고"라고 말했다.

나는 엄마가 나를 위해서라면 자신에게 일어난
모든 일을 '그건 그거고'라는 말로 치워버리는 것을
알고 있고, 그래서 그런 말을 들을 때마다 조금 울고
싶어진다. 어떻게 그럴 수 있을까. 나는 잘 모르겠다.

"엄마, 오늘은 내가 아니라 엄마의 마음을 돌봐야
하는 거야."

그렇게 말했는데, 엄마는 이미 청소를 시작했다.

"이게 엄마가 엄마의 마음을 돌보는 방식이야."

엄마가 말했다.

"엄마, 외할머니도 이랬어?"

"그러고 싶으셨겠지. 엄마가 기회를 안 줘서
못했지만. 엄마는 너보다 훨씬 더 무심한 딸이었어.
사는 거 바쁘다고 연락도 잘 못 드렸잖아."

엄마는 이미 내 서재에 들어가 책을 치우기 시작했다. 순식간에 민족대이동 하듯 책들이 움직였다. 아찔한 광경이었으나 엄마는 눈 하나 깜짝하지 않았다.

"이게 여기 있었네."

정신없이 움직이던 손길을 멈추고 엄마가 책 한 권을 집어 들고 말했다.

"다시 가져가도 돼. 너무 옛날 번역이라 나는 새로 사 보는 게 낫겠어."

"싫어."

"책 보기 싫어?"

"응. 눈이 침침해."

"핸드폰은 보잖아."

"그거랑 달라. 글씨가 눈에 잘 안 들어와."

"글씨가 너무 작나?"

"그게 아니라 이제 필요를 못 느끼겠어. 옛날에는 뭔가 답을 찾으려고 책을 읽었는데, 지금은 찾고 싶은 답이 없어."

"책이 무슨 해답지도 아니고…."

"너는 책을 왜 읽는데?"

엄마가 물었고, 나는 답하지 않았다. 엄마가 알려 준 답 말고 다른 답을 찾고 싶었다고, 답이 아니라 질문을 찾고 싶었다고, 그런 말을 엄마가 이해할까. 나는 대답 대신 "엄마 좀 쉬어"라고 말했다. 물론 엄마는 들은 체 만 체 했지만.

서재를 정리하고, 아니 정리가 아니라 변신을
시키고, 엄마는 다시 주방으로 향했다. 우리 앞에
엄청난 대공사가 기다리고 있었다. 마르땅은 눈을
질끈 감고 방으로 들어갔다. 아무도 엄마를 말릴 수
없었다.

"엄마, 며느리한테는 이러면 안 돼"라고 말하자,
엄마는 웃었다.

"며느리네 집은 안 가지."

"웃기고 있네."

"내가 우리 엄마 집에도 잘 안 갔는데…."

엄마는 찬장에서 그릇을 꺼내 하나씩 닦다가
갑자기 울음을 터뜨렸다. 엄마는 울음을 꾹 참았다가
한번 터뜨리면 주변 사람들이 당황할 정도로 곡을
하듯 우는 버릇이 있다. 언젠가 마르땅은 엄마의
울음소리가 사람이 아니라 슬픔이 내는 소리 같다고
말했다.

"엄마, 할머니 거기서 잘 지내실 거야. 이제 자주
찾아뵈면 되잖아."

엄마를 달래준다고 꺼낸 말인데 엄마는 더 크게
목놓아 울었고, 울면서도 접시를 정리했다.

"신발을 사드렸어. 신발을 사드리고 그걸 신겨서
요양원 문 앞까지 데려다줬어."

"예쁜 거 샀어?"

"응. 제일 예쁜 걸로 샀어."

엄마가 고개를 끄덕였다.

나는 엄마를 안고 아이를 어르듯 달랬다. 엄마는

아이처럼 울다가 노인처럼 주저앉았고, 나는 나와
똑같이 우는 엄마를 나와는 다르다고 믿으며 꼭
끌어안았다. 엄마가 처음으로 내 품에서 울었다.
앞으로는 이런 날들이 자주 찾아오겠지….

　　엄마가 갔다. 올 때는 먹거리를 한 보따리 가져
왔는데 갈 때는 쓰레기 한 짐을 짊어지고 갔다. 엄마가
골라내서 쓸 만한 것은 쓰고, 버릴 것은 버린다고.
내게는 다 쓰레기였는데…. 엄마는 왜 그런 것을
가져갔을까. 나는 잘 모르겠다.
　　엄마가 왔다가고 일주일 후, 다시 엄마에게서
전화가 왔다. 할머니를 보러 요양원에 갔다가
코로나가 심해져서 못 만나고 돌아오는 길이라고
했다.
"엄마 괜찮아?" 물었더니,
"괜찮아. 할머니 계신 창가 쪽 한 바퀴 돌고 왔어"
라고 엄마가 대답했다.
"그게 뭐야?"
"엄마가 거기 한 바퀴 돌고 간 거 할머니가 아니까
괜찮아. 할머니가 내 딸이 지나갔구나, 하셨을 거야."
"더 아쉽기만 하겠다."
"엄마는 엄마니까 알아. 우리 엄마도 그거면 됐다고
하셨을 거야."
"엄마…."
"유진아, 너도 나중에 엄마 지내는 곳 가끔 지나가 줘.
그럼 엄마는 우리 딸이 저기 지나가는구나, 하면서

지낼 수 있으니까."

　나는 전화를 끊고 바닥에 주저앉아 엉엉 울었다.
마르땅은 내 울음에 익숙하다는 듯 가만히 나를
달래며 말했다.

"사람이 아니라 슬픔이 내는 소리네."

　왜 슬픔일까, 나는 그게 궁금했다. 엄마를 생각하면
그 마음 끝에 왜 슬픔이 있을까. 그날은 밤새 책을
읽었다. 그런 질문에 답이 있을 리 없는 줄 알면서도,
엄마에게 배운 그대로.

　질문에 대한 답은 뜻밖의 장소에서 찾아왔다. 신발
가게 앞이었다. 예쁜 신발 한 켤레를 봤고 엄마에게 잘
어울리겠다 생각했지만, 시간이 없다는 핑계로 그냥
왔다. 다음에 데려와서 신겨보고 사줘야겠다, 그렇게
생각하다가 퍼뜩 깨달았다. 내가 엄마를 모자라게
사랑한다는 것을.

　나는 모자라게 사랑해서 슬펐다. 죽었다 깨도
엄마만큼 사랑할 수 없어서. 그까짓 신발, 안 맞으면
바꾸거나 버리면 그만인데 왜 그 자리에서 사지
않았을까.

　한 출판사에서 번역 의뢰 메일이 왔다. 라캉에 관한
책이었다. 조금 생각해보다가 거절하겠다는 답장을
보냈다. 시간도 부족했고, 자신도 없었다. 그즈음
시어머니와 통화를 했다. 라캉에 관한 책 번역을 제안
받았는데 거절했다고 하니 안타까워하셨다.

"내가 너한테 줄 수 있는 자료가 많은데."

"다음에 주세요"라는 말에, 시어머니가 말씀하셨다.

"네가 원한다면 언제든지. 너에게 도움이 되고 싶어."

얼마 후, 엄마 집에 갔다가 우연히 라캉 책을
발견했다.

"나 라캉 번역 제안이 들어오긴 했는데…"라는 말이
끝나자마자 엄마가 환하게 웃으며 말했다.

"너무 잘됐다. 다시 읽고 싶은데, 이젠 읽을 수가
있어야지…. 엄마는 다 잊었어. 이제 우리 딸이 읽고,
번역해서 엄마한테 말로 옮겨주면 되겠네. 엄마한테
들려줘. 귀로 듣는 건 잘 들어오더라고. 네가 읽은 거,
옮긴 거, 쓴 거, 모두. 엄마는 이제 너한테 어려운 것을
의지해야 하지만, 그래도 한 발씩 나아가는 사람이
되고 싶어."

그런 엄마에게 거절했다는 말을 차마 하지 못하고,
엄마의 책을 들고 집으로 돌아와 저녁 내내 같은
페이지를 읽고 또 읽었다. 또렷하게 찍힌 문장 사이에
희미하게 적힌 낙서들. 오래전 나는 왜 거기 적힌 그
말들을 "나는 내가 없습니다"라고 해석했었을까.
완벽한 오역이었다. 그곳에는 분명 이렇게 적혀
있었다.

"여기, 내가 있습니다."

존재를 확인하고, 존재를 되찾아가는 여성의 말.
이제야 제대로 해석할 수 있는 것은 내가 그 언어를
배웠기 때문일까?

출판사에 다시 메일을 보냈다.

하고 싶다고, 하겠다고 말했다. 계약서에 사인했다.

어머니에게서 딸로, 여러 세대에 걸쳐 여성이
여성에게 사랑과 긍정과 본보기를 강력한 끈으로
연결해 전달하지 않는다면, 여성들은 여전히
황무지를 헤매게 될 것이다.*

　내 컴퓨터에는 '엄마'라는 폴더가 있고, 그 폴더의
첫 번째 파일에는 에이드리언 리치의 이 말이 적혀
있다. 그동안 숱하게 썼던 '엄마 이야기'가 이제
과거에서 빠져나와 현재, 미래를 향해 간다. 머지않은
미래에 그 폴더 안에는 '라캉'의 번역서가 더해질
것이다. 그 작업은 아마도 엄마가 할머니에게 사드린
신발 같은 것이 아닐까. 모자란 사랑의 속죄, 앞으로
더할 사랑의 약속 같은 것.
　나는 당연히 엄마의 창문 앞에 있을 것이다. 그것을
두드릴 것이다. 그러면 엄마는 문을 활짝 열고 나와
엄마의 책과 음식과 삶이 진하게 밴 그 냄새로 나를
안을 것이다.

　서양에서는 부모와 자식의 관계를 오이디푸스
콤플렉스를 기반에 두고 설명한다. 오이디푸스의
운명은 아버지를 죽여야 하는 것이고, 아버지를
죽이고 나아가는 것이 그의 성장이기도 하다. 그러니
그 문화에서 자식의 성장이란 부모와 연결된 끈을
끊고 나아가는 일을 말한다. 그러나 나는(여성으로서

* 에이드리언 리치, 『우리 죽은 자들이 깨어날 때』, 바다출판사

내 경험을 말하자면) 여성이 그의 어머니를 통해
성장하는 방식은 조금 다르다고 생각한다. 우리는
어머니에게 속했다가 어머니를 떠나고, 어머니에게로
되돌아간다. 여성으로서 어머니의 삶을 이해하고,
어머니가 되거나, 모성애에 준하는 사랑을 체험하면서
어머니의 삶을 다시 만나는 것이다. 그리고 이 모든
과정은 단절이 아니라 연대를 기반으로 한다.

사랑과 긍정과 본보기를 강력한 끈으로 잇는 일,
아마도 그것이 앞으로 내가 채워가야 할 '엄마'라는
폴더 속 이야기일 것이다. 이제 나는 막 이어받은 끈
하나를 나만의 방식으로 다시 엮는다.

조금 더 튼튼하게, 더 자유롭게.

끈과 끈을 연결하며, 나는 조금 더 멀리 갈 수 있다.

목격자(Le témoin)

해 질 무렵에는 호수를 걷는다. 요즘 호숫가에는
추워진 날씨에 떠날 채비를 마친 새들이 마지막
비상을 한다. 새들은 호수를 크게 돌고 또 돈다. 무리
지어 돌고, 무리에서 떨어져나와 돌고. 누군가 새가
나는 것을 보고 그랬다. 작별 의식, 떠나기 전에
이곳을 기억하기 위해서 나는 거라고. 새에게 그런
마음이 있을까? 그렇다면 새에게 나는 일은 보는 일,
날개는 또 다른 눈일 것이다.
　산책에서 돌아오면 새를 기록한다. 검은 바탕에
목 부분에만 노란 깃털이 있는 새, 머리가 파란 새,
부리가 초록색인 새. 그렇게 기록해뒀다가 조류
도감을 뒤져 이름을 찾아보기도 한다. 이곳에 산 지
2년째, 아직 돌아오지 않은 새도 있다.

새의 기록은 오래 간직한 노트에 적는다. 검은색
하드커버 노트로 몇 년 전 리스본 여행을 떠날 때
선물 받은 것이다. 첫 장을 펼치면 'Le témoin'(목격자)
이라는 글자가 적혀 있다. 내게 이 낭만적인 물건을 준
사람은 포르투갈 어머니와 프랑스 아버지 사이에서
태어난 문학평론가다. 그는 프랑스 지역 신문에
한국문학에 관한 칼럼을 기고했고, 나는 우연한
계기로 칼럼의 자료 조사를 도우며 그와 가까워졌다.

유독 추웠던 겨울이 쉽게 물러나지 않던 3월이었다.
리스본행 비행기 티켓을 끊고 그에게 전화를 걸어
말했다.
"리스본으로 갈 거예요."
그는 들뜬 목소리로 그곳에는 어머니의 머리카락
같은 테주강이 흐른다고 말했다. 육십대가 훌쩍 넘은
남자의 입에서 나온 '어머니'라는 단어가 그 강의
수심을 짐작하게 했다. 얼마나 깊을까.
여행을 떠나기 전날, 조사한 자료들을 건네주러
그의 서재에 갔을 때, 그는 내게 페르난두 페소아의
시집과 노트를 주며 말했다.
"테주강의 목격자가 되어서 돌아와요."
그때 나는 페소아를 잘 몰랐고, '목격자'라는
단어가 어쩐지 생경하여 시집과 노트를 받아들고
조금 당황한 표정을 지었다. 여행자의 자유를
방해하는 문학인의 고약함 정도로 생각했던 것 같다.
리스본에 도착한 다음 날 아침, 숙소 창문을 활짝

열고 거리를 내다보며 페소아의 시집을 읽었다. '테주'라는 이름이 등장하는 시. 페소아는 그 강을 사람의 이름처럼 불렀다. 나는 그의 시를 자그마한 목소리로 읊으며 페소아의 눈을 빌려 거리를 읽기 시작했다. 황금빛 거리에 색이 바랜 건물, 열매가 무겁게 열린 오렌지나무, 바다를 닮은 강, 물결 같은 언덕. 아마 그때 내가 있던 곳이 뉴욕이나 런던이었어도 나는 페소아와 함께 리스본의 풍경을 읽었을 것이다. 어떤 글은 나를 뿌리째 옮겨심기도 하니까. 페소아는 내가 어디에 있든 단숨에 나를 리스본으로 데려간다.

모든 여행이 그러했듯 리스본에서도 걷는 일이 전부였다. 유명한 노란 트램을 제외하고는 한 번도 대중교통을 이용하지 않고 걷고 또 걸었다. 걷다 보면 시장과 광장이 나왔고, 숨이 차다 싶으면 언덕배기를 오르고 있었다. 명소를 지나친 적도 많았지만 그런 것은 중요하지 않았다. 내게 보는 일은 걷는 일. 걷지 않고 제자리에 머무르면 세상은 커다란 거울이 되어 온통 나만을 비췄다. 나의 못생긴 얼굴, 못난 마음, 나의 자만, 나의 자의식, 그렇게 거울 속의 나는 점점 자라 나를 잡아먹고…. 그러니 내 안에 매몰되고 싶지 않다면 걸어야 한다. 내면의 풍경은 '안'이 아닌 '바깥'에 있으니까. 내게서 몇 걸음 떨어진 곳에, 나의 눈이 머무는 곳에.

그 여행에서 걷는 일을 제외하고 조금 특별했다고

말할 수 있는 것은 걸음을 멈출 때마다 노트를 만지작거렸다는 것이다. 노트에 적힌 '목격자'라는 글자가 무언가를 써야 한다고 무언의 압박을 주는 듯했으나 무엇을 써야 할지 알 수 없었다. 걷다가 지쳐 쉬어갈 때마다 끄적거린 문장 몇 줄은 모두 페소아의 시집에서 옮겨 적은 시어였다.

그가 말했던 테주강을 만난 것은 다섯 번째 언덕을 넘을 때였다(리스본에는 일곱 개의 언덕이 있다). 좁고 가파른 길을 오르며 숨이 턱까지 찼을 때, 어느새 해가 지고 오렌지나무의 형체는 가려지고 향기만 남았을 때, 뒤돌아보니 저기 멀리, 테주강이 바람에 요동치고 있었다. 나는 언덕길에 잠시 주저앉아 그곳이 남의 집 대문 앞이라는 사실도 까맣게 잊고 검은 물결을 바라봤다. 그토록 까맣고 기다란 머리카락을 가진 이는 누구였을까. 기억에게 물으면 내게도 테주강을 닮은 이가 있을 것 같았다. 목도했던 얼굴들이 내 안에서 천천히 흐를 때까지 강을 바라봤다. 보고 싶고 만지고 싶은 얼굴들이 어둠을 타고 내게 달려들 때까지. 그때, 노랫소리가 들렸다. 주위를 둘러보니 동네 여자들이 길가에 앉아서 어둠이 내리는 강을 보고 있었고, 그들 중 한 명이 긴 머리카락을 투박한 핀으로 틀어 올린 채 맨발로 돌바닥을 두드리며 노래를 흥얼거렸다. 한 번도 들어본 적 없던 낯선 리듬과 언어로 부르는 노래에 어느새 내 손가락이 움직이기 시작했다. 먼 옛날 바벨탑을 쌓기 전, 신이 분노하기 전에 인간들은 단

하나의 언어로 말했다지. 나는 때때로 우리가 부르는
노래가 그 하나의 언어를 향한 그리움이 아닐까
생각해본다. 오래전 우리는 어쩌면 말하지 않고
노래했었으리라.

　길 위에 앉아 있던 여자들은 마치 누군가를
기다리는 듯 어둠 너머를 응시하고 있었다. 그곳에
머무는 동안 내 시야에서 테주강은 어둠 속으로
서서히 사라졌지만, 그 여자들만큼은 선명하게
빛났다.

　나는 지금도 리스본을 떠올리면 코메르시우
광장이나 벨렘 같은 관광지가 아닌 그 여자들이
떠오른다. 언덕을 지키고 앉아서 해가 지고, 해가
뜨는 것을 지켜보던 여자들 말이다.

　여행에서 돌아와 그를 만나러 갔다. 선물에 대한
보답으로 리스본에서 산 포트와인을 들고 그의 서재를
찾아갔던 날은 다시 겨울로 되돌아가기라도 한 듯
매서운 바람이 불었다. 우리는 리스본의 날씨가 담긴
와인을 마시며 몸을 데웠다. 나는 그에게 이 짧은
여행으로 고향은 아니나 고향처럼 애틋한 리스본을
갖게 됐다고 고백했다. 그의 말처럼 그곳은 어머니를
닮은 강을 품고 있었다고. 물론 자식을 위해서라면
무엇이든 다 내어주는 내 어머니를 말하는 것은
아니었다. 그것은 조금 더 근원에 가까운, 가만히 보고
있노라면 탄생과 죽음을 절로 받아들이게 하는 신화적
어머니에 가까웠다. 어머니의 땅. 이미 테주강은 내게

언젠가 돌아가야 할 곳이 되고 말았다.

　와인을 두 잔째 마셨을 때, 그는 내게 '목격자'의
임무를 완성했는지 물었다. 나는 조금 미안한 얼굴로
많은 것을 봤지만 무엇을 써야 할지 몰랐다고 답했다.
그는 미소를 지으며 말없이 나를 바라봤다. 짙은
갈색 눈. 나는 그의 눈동자 안에서 다시 리스본을
봤다. 오로지 바라보는 것으로만 세상을 이해할 수
있다는 페소아의 시를 따라 걷던 길과 풍경들, 마침내
이르게 됐던 그때 그 언덕, 나는 언덕 위에서 무언가를
기다리는 듯이 앉아 있었던 여자들이 떠올랐고,
그에게 내가 봤던 풍경을 전했다.

　"언덕 위에서 세상을 바라보는 여자들을 봤습니다."

　내 말에 귀 기울이던 그는 고개를 끄덕이며 말했다.

　"잘 알죠. 나는 그 사람들을 잘 알아요. 그녀들
이야말로 목격자처럼 그곳에 앉아 하루의 탄생과
죽음을 지켜보죠."

　"왜죠?"

　나는 그의 멋진 문장을 조금 더 파헤치고 싶었고,
그는 기다렸다는 듯이 말을 이어갔다.

　"불어에서 temoin(목격자)이라는 명사를 동사로
만들면 témoigner가 되죠. 아시겠지만 이 동사는
'목격하다'가 아닌 '진술하다' '증언하다'라는 뜻으로
사용돼요. 그러니 목격자는 목도하는 사람이자
증언하는 사람이지요. 그들은 하루를 증언하기 위해
그곳에 앉아 있어요. 매일 뜨고 지는 해와 바람과
지나가는 사람들, 흘러가면 아무것도 아닌 것들을

보고 또 증언하는 거죠."

"어떤 식으로요?"

나는 다시 물었다.

"파두(Fado)를 아나요?"

"포르투갈 민속 노래 아닌가요? 시 같기도 하고
노래 같기도 한…. 저녁이 되면 리스본 식당마다
파두가 울려퍼졌어요."

"맞아요. 시 같기도 하고 노래 같기도 한 그것. 그게
그 사람들의 증언이에요. 파두는 그리움의 노래라고
하죠. 내 나이 즈음 되면 하루가 온통 그리움이에요.
모두 내가 어릴 적에 어머니가 들려주셨던 이야기죠.
어머니도 그러셨거든요. 우리가 살던 집 앞 골목에
앉아서 해가 뜨고 지는 것을 보셨죠. 그때 어머니도
똑같이 말씀하셨어요. 내 나이 즈음 되면 하루가 온통
그리움이라고. 그러고 보니 나는 어머니의 나이를
훌쩍 뛰어넘었네요."

"어머니도 파두를 부르셨나요?"

"그럼요, 늘 불렀죠. 그리움의 노래라고 말했잖아요.
리스본에서 태어나 리스본을 떠난 어머니를 둔 내게
그리움의 노래는 모두 파두예요."

말을 마친 그는 어머니의 노래를 흥얼거렸다.
파두. 파두를 들으며 마시는 포트와인에 온몸이
따뜻해졌다. 봄을 시기하는 바람이 창문 밖에서
아무리 고함을 쳐도, 우리를 감싸는 테주강의 온기를
거둬갈 수는 없었다.

리스본에서 완수하지 못한 임무를 이곳에서

이어가고 있다. 이제 나는 해가 질 무렵이면 자연스레
집을 나선다. 다만 그때 그 여자들과 다른 점이 있다면
그녀들은 앉아서, 나는 걸으면서 지금 내 앞에 생생히
살아 있는 것들을 목격한다는 것이다. 내게 걷는 일은
보는 일이다. 내 발에는 기억의 눈이 있어서 걷다
보면 눈앞의 모든 풍경이 오래전 리스본의 그것과
조우한다. 검고 길고 깊었던 그곳. 그리고 그곳에
이르면 다시 페소아의 시가 눈을 뜬다.

내 영혼은 내게 덜 보이는 것과 함께한다.*

리스본에서 멀어진 지금, 내 영혼은 테주강과
함께하고 있다. 눈앞에 있는 호수를 한 바퀴 빙 둘러
하루를, 떠나는 새를 보내주고 테주강으로 돌아간다.
짐작했을지 모르겠지만, 이 글은 나의 파두다.
그러니까 그리움의 노래. 나는 지금 그리움을
증언하고 있다.

* 김한민, 『페소아』, 아르테

창문처럼 나를 열면

저녁 아홉 시 반, 숲 너머로 해가 지기 시작했다.
여름의 시작인 모양이다. 비가 자주 내리고, 비가
오고 나면 반드시 서늘해지는 이곳에서는 기온이나
날씨보다 해의 길이로 계절을 가늠한다. 마르땅은
노르망디에 위치한 이 작은 마을에서 자랐다. 하늘이
낮고 흐리고, 숲은 늘 축축하게 젖어 있고, 한국의
감나무처럼 집집에 사과나무 한 그루씩 있는 곳.

삼 년 만에 돌아온 이곳은 아무것도 변한 것이
없다. 모든 것이 제자리에 놓여 있는 것을 보니 어쩐지
두고 간 나를 만날 수 있을 것 같았다. 아무래도 나는
이곳을 두 번째 고향으로 여기는 모양이다.

한동안 닫혀 있던 방문을 활짝 열었다. 한때
마르땅의 방이었던 그 공간에는 그가 사춘기 시절에

남긴 흔적이 그대로 있다. 핑크플로이드 포스터와
CD 플레이어와 스피커, 책상 서랍 속의 말아 피우던
담뱃잎과 담배 종이까지. 나는 그 방에 들어갈 때면
열일곱 살 남자애를 만나러 온 십대 여자애가 되는
상상을 해본다. 록 음악을 좋아하고 싸구려 담배를
피우고 혓바닥과 코에 피어싱을 한, 아무에게나
친절하지 않은 프랑스 여자애. 물론 내 상상 속의
인물이다. 나는 한때 그런 여자애가 되는 꿈을 꿨다.
내키지 않는 일은 하지 않고, 예의 차리느라 가짜
미소를 짓지도 않으며, 웃기지 않으면 웃지 않는 사람.
상관없는 사람들이 하는 말에 조용히 가운뎃손가락을
치켜올릴 수 있는 그런 사람. 모든 꿈이 그렇듯 나를
비껴간 환상이다.

"가운뎃손가락을 들었어. 엿이나 먹으라고."
  저녁을 먹던 중 시어머니의 뜬금없는 고백으로
식탁이 발칵 뒤집혔다.
"미쳤어? 그러다 싸움이라도 나면 어쩌려고?"
  마르땅은 화를 냈고 시아버지는 별말 없이 묵묵히
식사를 하셨다.
"사람이 걷는데 그걸 못 기다리고 클랙슨을
울리잖아. 그거 그냥 누른 거 아니야. 클랙슨에도
톤이 있어. 욕 대신 누르는 거 있잖아, 빵~빵~.
그럴 때는 자동차 헤드라이트도 눈을 치켜뜬 것
같다니까. 정말 불쾌했어."
  나는 웃음이 터져버렸다. 평소에 우아한 태도를

그토록 강조하시던 시어머니가 주차장에서 클랙슨을 누르는 남자에게 가운뎃손가락을 들어 욕을 했다는데 어떻게 웃지 않고 넘어갈 수 있을까.

"내가 육십이 넘어서 생각해보니 할 말을 다 못하고 사는 건 좀 억울하더라고. 그동안 출연료도 안 주는 무대에서 뭘 그렇게 연기하고 살았는지 몰라."

마르땅은 어머니의 말에 고개를 절레절레 흔들며 못마땅한 표정을 지었고, 어머니 이야기를 한참 듣고만 계시던 시아버지가 마침내 입을 여셨다.

"당신을 처음 만났을 때 그 모습이 지금도 생생해. 강당에 학생들이 모여 있었는데, 목에 노란 스카프를 감고 있던 당신이 한눈에 들어왔어. 금발에 노란 스카프가 어찌나 잘 어울렸던지! 꼭 병아리 같았어. 그때 내가 당신에게 반했던 것 같아. 그래서 당신을 계속 훔쳐봤고. 그런데 그 사랑스러운 병아리가 어떤 남자랑 싸우기 시작하더군. 왜 싸웠는지 이유야 모르지만, 그 남자가 당신에게 시끄러운 암탉이라고 말했을 거야. 그때 당신이 어떻게 대답했는지 기억나? 나는 어제 일처럼 생생한데…. 아무튼 당신이 그 남자를 노려보더니 가운뎃손가락을 세우며 외쳤어. '그 입을 한 번만 더 놀리면 면상을 부숴버리겠다'고. 그 말을 들으니 정신이 번쩍 들더군. 아이코, 저 여자 정말 무서운 여자구나, 가까이하지 말자 다짐했었는데, 내가 그 여자랑 결혼을 해버렸네. 그런데 살다 보니 당신은 다른 사람이 되어 있더군. 아마 아이를 낳은 후로 그랬던 것 같아. 아이들에게 부끄럽지 않은 교양

있고 우아한 여자가 됐지. 그런데 나는 요즘 당신을
보면, 그때 목에 노란 스카프를 감고 있던 여자와
다시 사는 기분이 들어. 그 분노한 병아리 있잖아.
스릴이 넘쳐, 나쁘지 않아."

시아버지의 이야기에 나는 마시던 와인을 내뿜을
뻔했고, 모두 배꼽이 빠지게 웃었다. 오랜만에 만나는
가족들은 여전히 웃음이 넘쳤다.

"세상에 이상한 놈들이 너무 많아. 그런 놈들을
만나면 말하는 것도 아까워. 그럴 기운이 어디 있어.
그럴 때는 그냥 가만히 가운뎃손가락만 들면 돼."

시어머니는 우아하게 와인잔을 들고 말씀하셨고,
시아버지는 어머니의 잔에 당신의 잔을 부딪치며
맞장구를 치셨다.

"당신이 무조건 옳아."

공무원 생활 40년 동안 체득한 지혜가 빛나는
순간이었다.

오랜만에 샴페인과 와인을 실컷 마시고 적당히
취해 침대에 누웠다. 시차 적응 탓인지 잠은 오지
않았고, 멀뚱멀뚱 천장만 바라보고 있노라니 컴컴한
밤이 족쇄처럼 느껴졌다.

"가자."

마르땅이 벌떡 일어나며 말했다.

나는 옷을 두툼하게 챙겨 입고, 창고에서 장화를
꺼내 신고 창문을 넘었다. 그 방의 창문은 문처럼 크고
곧바로 정원으로 이어지는데, 정원을 가로지르면

사과나무가 있고 그 뒤로 숲으로 들어가는 샛길이
나온다. 사춘기 시절 마르땅은 해가 지면 문이 아니라
창문을 넘어 다녔다고 했다. 부모님 몰래 친구들과
숲에서 모닥불도 피우고, 담배도 피우고 술도 마시고.
적당히 나쁘고 적당히 재미있는 일들을 벌이기
위해서. 15년 전 노르망디에 처음 왔던 날, 나 역시
밤에 창문을 넘어 숲에 들어갔다. 그때는 남의 집
창문을 넘는 일이, 숲에서 핑크플로이드의 음악을
듣는 일이, 샹젤리제의 핫한 클럽에 가는 것보다 더
쿨하게 느껴졌다. 그렇게 밤을 거침없이 걷다 보면
적당히 나쁘고 적당히 재미있는 애가 될 것 같았다.

사과나무 뒤로 난 샛길부터 숲까지, 마르땅은
아무리 캄캄해도 귀신같이 길을 찾아냈고, 나는 기차
놀이 하듯 그의 허리를 잡고 더듬더듬 앞으로 나갔다.
"눈이 어둠에 익숙해지면 돼."

그는 15년 전이나 지금이나 태평한 소리를 했고,
"아무것도 안 보이는데, 이 밤에 따라온 내가 미친
거지."

나는 그때나 지금이나 투덜댔다.
"저기!"

마르땅이 손가락으로 가리킨 곳에는 아주 희미하게
반짝이는 것들이 있었다. 그가 핸드폰 플래시를 끄자
그 작은 불빛들이 조금씩 자랐다. 고요하게 온몸으로
불을 밝히는 것들, 반딧불이가 우리 앞에 나타났다.
세 개, 다섯 개, 여섯 개, 열 개. 우리는 어둠 속에서
반딧불이를 세면서 걸었다. 그렇게 숲의 깊은 곳에

이르렀을까. 눈앞에 셀 수 없이 많은 반딧불이가 반짝였다. 우리는 걸음을 멈춰 짧은 감탄의 소리를 내뱉고는 넋을 잃은 채 그 노란빛을 바라봤다.

"이렇게 작고 힘이 없는데 뭐가 이렇게 아름답지?"

"이렇게 작은 게 빛을 내니까 아름답지. 기특하잖아. 사람들은 태양을 보고 아름답다고 말하지 않아. 어쩌면 무서워할걸? 너무 완전하고 커다란 건 조금 무서워. 이렇게 작은 건 뭐랄까…, 꿈꿔볼 만하잖아. 어쩌면 나도 이런 빛은 가질 수 있지 않을까 하는 마음도 들고. 무엇보다 무해하니까. 이런 작은 불빛에 타 죽는 사람도 없을 테고."

나는 그의 말에 잠시 그 무해한 빛을 바라보다가 말했다.

"같이 봐서 다행이야. 나중에 내가 또 오기 싫다고 징징대면 이 반딧불이를 생각하라고 말해줘."

너무 어두워서 그의 얼굴이 보이진 않았지만 그가 웃고 있다는 것을 알 수 있었다. 내게 그의 표정만큼 읽기 쉬운 것은 없으니까.

"같이 본 게 많다."

그가 만족스러운 목소리로 말했다.

"같이 잃은 것도 크다."

그가 다시 덤덤하게 말했다.

우리는 한동안 말없이 그 숲속에 서 있었다. 그도 나처럼 우리가 같이 본 것과 우리가 같이 잃은 것들을 떠올리고 있었을까. 일출과 일몰, 바다와 산, 오래된 도시들의 낮과 밤, 좋아하는 사람들, 창문 밖으로 펼쳐졌던 풍경 그리고 창문 안에 머물렀던 안식.
그 아름다운 것들 사이로 함께 잃었던 것이 찾아와
마음을 꼬집었을까. 우리가 잃은 것…, 해내지 못한
일들과 어떤 이유들로 세상을 떠난 친구들, 그리고
우리에게 잠시 왔다 간 생명.

　짧은 기간이었지만 아기를 가진 적이 있었다.
간절히 기다리진 않았어도 기꺼이 축복으로 맞이
하자고 다짐했던 생명. 그걸 잃은 것은 오스트리아
빈의 응급실이었고, 나는 그곳에서 처음이자
마지막으로 내 안에서 살았던 존재를 봤다. 컴컴하고
휑한 화면 속에서 완전한 생명이 되지 못한 채로
덩그러니 남아 있던 그것. 나는 그 존재가 참 외로워
보였고, 그것이 내게 상처로 남았다. 외로운 내게서
너무 외로운 것이 자라다 견디지 못하고 떠난 것
같아서. 그 후로는 한동안 어딜 가도 어둡고 추웠다.
물론 가까운 이들은 나를 위로하기 위해 애썼다.
제일 많이 들었던 이야기는 '별일 아니다, 흔한 일이다'
라는 말. 그러나 그런 위로는 마음에 닿지 않았다.
내 슬픔이 별일 아니라고 말하는 사람들에게 나는
뭐라고 대답해야 할지 몰라 그저 입을 다물었다.
상실과 슬픔이 온전히 지나가기도 전에 타인을 위해
괜찮다고 말하고 싶진 않았다.

　그 일을 겪은 후 결심한 세 가지가 있다. 나의
빈 마음을 충만하게 채울 것. 별거 아니라고, 흔한
일이라고 외면하며 슬픔의 크기를 줄이지 않을 것.
너무 큰 것을 잃었다고 생각하며 과도한 절망으로

슬픔을 키우지 않을 것. 지난 몇 년 동안은 그 결심을 위해 노력했다. 아마도 그 노력 중 하나가 글을 쓰는 일이었을 것이다. 마음을 들여다보고 그것을 진솔하게 표현할 수 있는 단어와 문장을 생각하고 다듬는 일은 나의 빈 마음을 채우는 일이자 나의 감정을 있는 그대로 바라보는 일이 되었다. 나는 그렇게 불행과 행복의 균형을 맞춰가고 있다. 나를 집어삼킬 만큼 거대했던 마음들이 점점 작아지고 있다.

숲의 깊숙한 곳까지 갔다가 돌아오는 길에 마르땅과 나는 지난 15년을 되짚어봤다. 처음 만났던 날부터 아름다운 것들을 함께 본 순간과 소중한 무언가를 잃었던 시간까지. 말과 말 사이에 때때로 찾아오는 침묵은 있었지만 크게 웃거나 울지 않았다. 지나온 것들은 우리에게서 몇 발짝 떨어져 가만히 빛을 냈고, 우리는 그것을 함부로 만지거나 흔들지 않고 차분히 흘려보냈다.
샛길을 빠져나올 때쯤 마르땅이 물었다.
"어떻게 늙고 싶어?"
"나는 그냥 얻고 잃은 것이 잘 흘러가면 좋겠어. 흐르는 걸 내가 잘 받아들일 수 있으면 좋겠고. 너는?"
"나는 그냥 이렇게, 별일 없이 무탈하게 살면 좋겠어."
"너무 쫄지 마. 별일 생기면 뭐 어때, 어머니처럼 가운뎃손가락을 들고 엿이나 먹으라고 하면 돼."
내 말에 그가 킥킥 웃었다. 그의 웃음소리에 반딧불이 몇 마리가 놀란 듯했다.

다시 창문을 넘었다. 방에 들어와 이불 속에 함께 누워 있으니 그에게서 젖은 풀과 사과나무, 숲에서 맡았던 냄새가 났다. 나는 그 냄새에 눈을 감고 방금 걸었던 길을 떠올렸다. 작은 것들이 반짝이던 길. 그러다 문득 자신을 열면 해변이 있다는 아녜스 바르다의 말이 떠올라 그에게 말했다.

"너를 열면 숲이 있겠구나."

　돌아오는 대답은 곤히 잠든 사람의 숨소리. 잠 못 이루는 밤에 혼자 남겨진 듯한 배신감을 느꼈지만, 그건 외로움과는 달랐다. 빈 마음이 텅텅 소리를 낼 때면 함께 걸었던 길들을 곱씹어본다. 그 기억을 풍경처럼 바라본다. 그러니 나를 열면 그런 것들이 있지 않을까. 사랑한 것, 외로운 것, 슬픈 것, 기쁜 것, 얻은 것, 잃은 것 모두. 시간이 더 흘러 이 모든 것이 반딧불이만큼 작아지면 좋겠다. 그러면 나는 나를 활짝 열어 나의 밤을 펼쳐 보일 수 있을 것 같다. 그 밤을 함께 맞이해줄 사람들에게 저기 저 반딧불이 만한 삶을 보라고, 밤이 어둡다 원망하지 않고 제 몫의 빛을 밝히는 게 참 기특하다고 말할 수 있을 것 같다.

창문 둘,

발견, 고안, 창조. 이 세 가지 과정 사이에는 심오한 친화력이 있다.
고안(Inventer)은 어원적으로 '향하여 나아가다'(Invenire),
즉 발견하고 창조한다는 뜻이다. 법률용어로 보물을 '발견'하는
사람을 그 보물의 '고안자'(Inventer)라고 부른다는 사실에
주목할 필요가 있다. 사실 그가 개입하기 전까지는 그 보물이
존재하지 않은 것이다. 소급 효력을 가지면서 그것을 존재하게 하는
것은 바로 그의 발견이다.
고장과 풍경들의 경우도 이와 마찬가지다. 그것들을 바라보는
시선이 없었더라면 그것들은 과연 존재했을 것인가?

· 미셸 투르니에, 『외면일기』, 현대문학

첫 문장이 없는 글

아침에 눈을 뜨면 커튼을 활짝 열고 첫 문장을 찾는다. 내 어둠을 거두고 환하게 들어와 언어로 탄생하는 것, 그것이 오늘의 첫 문장이 될 것이다. 저기, 창 너머에 나를 기다리는 말이 있을까.

첫 문장을 향한 집착은 대학 시절 문예창작과 소설 수업에서 시작됐다. "첫 문장은 글의 첫인상이다" "첫인상이 매력적이지 않으면 아무도 읽지 않는다" 라고 했던 교수님의 말씀이 여전히 나를 따라다닌다. 특히 '아무도 읽지 않는다'는 그 말, 세상에서 제일 무서운 말.

강의 시간에 큰 소리로 읽었던 가와바타 야스나리의 『설국』 첫 문장, "국경의 긴 터널을 빠져나오자, 눈의

고장이었다. 밤의 밑바닥이 하얘졌다"를 나는 수학
공식처럼 외웠고, 친구들은 영어 단어처럼 옮겨 썼다.
우리는 이 두 줄의 문장을 마주할 때마다 끝나지
않는 터널 속에 갇힌 기분을 느꼈다. 그해 내 소설
창작 수업 노트에는 행운의 편지처럼 반복해서 적은
『설국』의 도입부와 화이트 자국으로 팔과 다리를 잃은
첫 문장들이 빼곡히 적혀 있었다. 가와바타는 알까?
수많은 문창과 학생들이 '설국'의 터널 속에 습작을
묻었다는 사실을.

늘 첫 문장에 실패했던 우리에게 교수님은
말씀하셨다.

"봐, 보란 말이야. 가와바타처럼 새로운 눈으로
보라고, 보는 것만으로도 세상은 다시 태어나."

잠이 덜 깬 눈으로 박명을 더듬는다. 그래, 보자!
그런데 정말 보는 것만으로 내 세상이 다시 태어날까?

창밖을 본다. 존 버거는 "말 이전에 보는 행위가
있다"고 말했다. 그러니 내 첫 문장은 내 시선과
마주하기를 바라며 말이 되기를 기다리고 있으리라.

새벽 여섯 시, 이제 곧 해가 뜬다. 처음 눈에 들어온
것은 어둠에 가려진 옅은 실루엣이었다. 형체에
시선을 집중하자 재빠른 움직임이 보였다. 내 둔한
언어보다 빨랐다. 날이 서서히 밝아오고서야 그것의
정체가 고라니임을 깨달았다. 고라니라니….
고라니는 첫 문장이 될 수 없다. 이름부터 틀려먹었다.
고라니에게는 설국만큼 압도적인 아름다움이 없다.

어둠에서 빛으로 향하는 극적인 효과도 없다.

고라니는 뭘까…, 그러니까 고라니는 그냥 고라니.

이제 사방이 훤하다. 고라니 한 마리가 밭에서 먹이를 찾는다. 다른 한 마리는 금세 사라졌다. 거두는 사람이 없는 밭이다. 은행나무, 단풍나무, 밤나무, 감나무, 이름 모를 나무들도 있다. 10월의 빛을 공평하게 나눈 자연은 특별히 더 아름다운 것도, 모나게 못난 것도 없다. 단풍나무와 밤나무의 아름다움을 비교할 일 없고, 나무와 고라니 둘 중에 무엇이 더 중요하다 저울질할 이유도 없다. 처음인 것도 나중인 것도 없는 곳, 어우러져 아름다운 것들이 순서 없이, 우열 없이 거기 있을 뿐이다. 나무와 풀과 낙엽과 새, 그리고 고라니. 풍경을 채우는 수없이 많은 '있음'들. 거기 있는 모든 것이 첫 문장이자 마지막 문장이다. 그러니 뭐 하나를 고를 수 없는 나는 다시 첫 문장을 터널 속에 묻을 수밖에.

첫 문장을 포기한다. 이제 두 번째 문장에서 승부를 봐야 하는데, 어떤 수업에서도 두 번째 문장을 쓰는 법은 배운 적이 없다. 그렇다면 고라니 이야기를 써도 될까?

내가 고라니와 처음 마주한 곳은 비 오는 날, 우리 집 지하 주차장이었다. 고라니 한 마리가 101동에서 109동까지 뛰다가 110동, 내가 사는 동 앞에서 딱 멈춰 섰다. 우리는 자동차 하나를 사이에 두고 대치한 적군처럼 서로를 탐색했다.

처음에는 고라니를 사슴으로 오인했으나, 아랫집
아주머니의 비명 덕분에 고라니라는 것을 알게 됐다.
"아니, 사람 사는 곳에 무슨 고라니가!"
아주머니는 겁에 질려 주저앉았다. 아주머니의
날카로운 비명으로 고라니는 감히 사람 사는 곳을
넘보는 불법 침입자가 되어버렸다. 경비 아저씨들이
오고, 경찰차가 왔다(경찰차가 왜 왔는지 모르겠다).
고라니는 체포됐다. 고라니 입장에서는 억울했을
것이다. 고라니가 뛰어놀던 습지를 밀고 들어온 것은
사람인데….
고라니와 내가 눈을 마주친 시간은 약 50초 정도.
나는 놈의 움직임을 읽기 위해 온 신경을 집중했다.
그리고 고라니가 앞발을 살짝 들려고 하는 찰나,
신도 포기한 운동신경을 발휘해 도망친 게 아니라
핸드폰을 꺼냈다(요즘 나오는 재난 영화에서 사람들이
위험한 상황에서 달아나는 게 아니라 핸드폰을 꺼내는
이유를 이해했다). 고라니를 찍어서 내가 본 것을
타인에게 알려, 이 외로운 행성에 나와 고라니가
고립되어 있지 않다는 것을 증명해야 하니까. 찰칵,
사진을 찍는 순간 고라니가 달아났고, 그의 날렵한
몸짓에 초점이 완전히 흔들렸다.
그 일이 있고 얼마 후, 친구에게 주차장에 고라니가
나타났던 사건을 이야기했다. 물론 친구는 믿지
않았다. 나는 그럴 때를 대비해 찍어뒀던 사진을
호기롭게 내밀었다. 친구는 미간을 찌푸리며 사진을
대충 보더니 말했다.

"그냥 큰 개 아니야?"

아니, 어떻게 고라니를 개로 볼 수 있을까 너의 그 눈은…. 그렇게 말하고 싶었지만, 본다는 것은 망막의 반응만은 아니니까. 우리의 시각은 알고 믿는 것에 영향을 받고, 우리는 시선으로 존재를 증명하기도 지우기도 한다. 고라니를 삶 속에 포함해본 적 없는 사람에게 고라니는 존재하지 않는다.

"개가 아닌데, 분명 고라니였는데"라고 말하자 친구가 웃었다. 고라니가 아닌 것 같은데, 사실 고라니여도 상관없다는 눈빛으로.

그럴 일이 아닌데, 그 눈빛에 문득 외로워졌다. 그러고 보면 나는 내가 본 것을 증명하지 못할 때 외롭다. 이제는 사라진 꽃밭, 뽑기 기계가 있었던 문방구, 무지개다리를 건넌 우리 집 강아지 록키. 그런 것들을 말할 때, 있었던 것이 없는 것이 될 때, 있거나 말거나 상관없는 거 아닌가 하는 얼굴을 마주할 때, 나는 문득 외롭다.

그러니까 지금 이 고라니 이야기는 외로운 것이 두려운 사람의 말 걸기이자, 흐린 렌즈의 초점을 다시 맞추는 일이다. 나의 느린 글쓰기로 고라니의 재빠른 움직임을 정확히 포착한다면, 그날의 고라니를 증명할 수 있지 않을까?

고라니가 오른쪽, 왼쪽 고개를 갸웃거리다가 겁에 질려 살기 위해 달아났던 일, 터전을 잃은 생명이 살던 곳에 돌아와 없음을 확인했던 일, 너의 상실은 나와 상관없는 일이라는 사람의 눈빛을 마주한 고라니가 분노했고, 달렸고, 울었던 일. 그리고 다시 쫓겨난 일. 그 모든 순간을 이곳에 적는다.

내가 본 것에 기대어, 지하 주차장에서 마주친, 삶의 터전을 되찾으러 왔던 고라니에 대해.

지금 창밖에는 평화롭게 먹이를 줍는 고라니가 있다. 고라니가 껑충 뛰다가 이쪽을 바라본다. 저기 저곳은 얼마나 오래 우열 없는 세계를 지킬 수 있을까? 처음과 나중이 없는 세계 말이다. 분양권이 필요 없고, 평수로 나눌 수 없는. 은행나무, 단풍나무, 밤나무, 감나무 순서를 뒤바꿔도 상관없는 첫 문장이 없는 세계.

이제 고라니가 떠난다. 사진은 찍지 않았으나 내 시각의 초점은 정확하다. 나는 고라니의 모든 몸짓을 담을 수 있다.

고라니가 뛰자 나뭇잎이 떨어진다. 노랗고 붉은 것들 위로 빛이 올라탄다. 낙엽은 빛의 무게다. 그런데 이렇게 아름다운 풍경을 또 나만 본 것일까? 주위를 둘러보니 이안이가 꼬리를 흔들며 창문에 까만 코를 대고 사라지는 고라니와 낙엽, 올라탄 빛을 바라보고 있다.

"이안아, 오늘 너와 나는 같은 것을 본 거야."

이안이가 고개를 끄덕이는 대신 내 무릎을 핥는다. 그러니까 그것은 동의한다는 뜻의 강아지 언어.

드디어 오늘의 단어가 태어났다.

무릎 키스.

데버라 레비(Deborah Levy)가 말했던가, 단어는
마음을 열어젖혀야 한다고. 음성 없이 무릎을 덮치는
그 키스에 내 마음은 10월의 어느 맑은 날 창처럼
활짝 열린다.

첫 문장이 없는 이 글의 마지막 문장은 무릎 키스다.
'당신이 본 것을 내가 봤다. 그것은 분명 거기에 있다.
그러니 아무도 보지 못했다 해도, 어느 날 사라진다
해도, 우리에게는 영원히 있는 것이다'라는 말.

그러니까 당신을 사랑한다는 말.

눈이 너무 뜨거워서

지난 며칠은 눈이 올 것 같다고 말하면 정말 눈이
왔다. 눈을 제일 먼저 발견하는 것은 이안이었고,
나는 그것을 보는 이안이의 고요로 눈을 알아챘다.
이안이는 무릎을 꿇듯 창가에 꼬리를 내리고 앉아서
말없이 창밖을 봤다. 하늘에서 떨어지는 하얀 가루를
이안이는 뭐라고 부를까?
　"눈이야!"
　오늘은 내가 눈을 '눈'이라고 불렀다. 내가 '눈'을
부르자 이안이는 마르땅에게 달려갔고, 마르땅은
이안이를 번쩍 안고 뛰었다. 그 둘은 '눈'이란 말은
모르지만, 그 말과 함께 환해지는 바깥 풍경과 내
표정으로 나의 언어를 배운다. 그러니까 그것은
고요하고 기쁜 단어. 나는 창문을 열어 손을 뻗었다.

눈꽃이 손바닥에 떨어지자마자 녹아 없어졌다.

"아, 뜨거워!"

마르땅이 말했다. 한국어 초급반인 마르땅은 '뜨겁다'와 '차갑다'를 자꾸 반대로 말한다. '뜨거워'가 아니라 '차가워'를 말하고 싶었을 테지만, 고쳐주지 않는다. 손바닥에 닿은 눈은 어쩐지 '뜨겁다'는 말이 어울리니까. 금방 탈 것처럼 짜릿하게 느껴지는 감각, 그게 얼마나 뜨거우면 순식간에 녹아버릴까. 그러고 보면 눈은 꼭 하얗게 타고 남은 재 같다. 빛과 세상이 만나 뜨겁게 사랑하고 남은 것.

스물한 살에 배운 불어는 오랫동안 완성되지 않았다. 집중하지 않으면 따라가지 못하는 대화는 말할 것도 없고, 영화를 볼 때 자막을 읽는 속도가 느려서 내용을 놓치는 일도 흔했다. 연극을 공부했고 극장에 자주 다녔지만, 내용을 이해하지 못하거나 오독한 공연도 많았다.

불편한 점이 없진 않았지만, 사실 나는 모자란 언어로 사는 게 그리 어렵지 않았다. 따라가지 못하는 대화는 말의 홍수 속에서 찾은 휴식이었고, 반 이상 놓친 영화는 상상의 자리였으며, 이해하지 못한 연극은 내 머릿속에서 완전히 재창조되었으니까. 언어가 부재한 자리에서는 이미지가 말을 걸었고, 나는 그 말을 토대로 자유롭게 나만의 이야기를 만들어낼 수 있었다.

오래전에 봤던 연극, 페터 한트케의 〈카스파〉는

한 인물이 어떻게 언어를 습득하고 언어를 통해
사물을 인식하며 질서를 배우는지, 또 그 과정에서
어떤 정체성을 강요당하고 그것을 스스로 인식하고
저항하는지를 보여주는, 일종의 '언어 고문'이라
요약할 수 있는 극이다.

대학에 입학한 지 얼마 되지 않아 그 연극을
처음 보게 됐다. 연극도 모르고 불어도 서툴렀던
시절이었다. 그러니 한트케의 어려운 대사가 들릴 리
없었다. 다만 이 연극이 문명으로부터 격리됐던 존재,
카스파 하우저라는 실존 인물을 바탕으로 쓰여졌다는
배경지식만으로 무대 위에 구현된 텍스트의 이미지를
마음껏 오독하고 상상할 뿐이었다. 그때 내게 누군가
이 연극에 대해 물어봤다면, 나는 자신 있게 "자아
찾기"라고 설명하는 오류를 범했을 것이다. 언어란
정체성이고, 모든 존재는 오직 언어를 통해서만
인식하고 자신을 증명할 수 있다고 믿었으니까.

그로부터 8년이 지났다. 우연인지 인연인지 연극
〈카스파〉의 조연출을 맡게 됐다. 그사이 나는 불어에
조금 더 익숙해졌고, 연극의 경험이 쌓여 〈카스파〉를
다른 각도로 해석할 수 있게 됐다. 그 당시 내가
재발견한 〈카스파〉는 '자아 찾기'가 아니라, 한 인간이
언어를 배우는 과정에서 타자가 얼마만큼 개입되는지,
타자의 영향이 얼마만큼 폭력적일 수 있는지를 말하고
있었고, 한국어와 불어의 경계에 사는 나로서는 이
연극에 매료되지 않을 수 없었다.

〈카스파〉를 무대에 올리기 위해 극단 단원들과
프랑스 시골 마을에 있는 창작 레지던스에 입주했다.
아무것도 없는 곳이었다. 허허벌판과 그것을 둘러싼
짙은 숲, 그 사이에 우뚝 서 있는 작은 극장이
전부였다. 한겨울이었고, 아침에 눈을 뜨면 언제나
눈과 서리로 세상이 하얗게 뒤덮여 있었다. 숙소에서
극장까지 가는 길은 도보로 30분 정도 거리였지만,
눈 때문에 매일 한 시간 이상 걸렸고, 극장에 도착하면
온몸에서 촛농처럼 물이 뚝뚝 떨어지곤 했다. 손은
허옇게 텄고 뺨은 아렸고. 그래도 조명이 켜지고
무대가 마련되면 그보다 더 뜨거운 곳이 없었다.

우리가 만든 〈카스파〉는 언어와 언어가 지칭하는
대상의 경계가 모호한 곳에 있었다. 테이블, 의자,
옷장, 카스파가 배운 모든 단어는 진짜 사물이 아니라
그림으로 재현됐고, 카스파는 앉을 수 없는 의자와
열리지 않는 옷장을 진짜 옷장과 의자와 구분하지
못했다. 분명 의자이긴 하지만 의자의 기능이 없는
의자를 우리는 뭐라고 불러야 할까? 그 물음에서부터
카스파의 언어 세계에 접근하기 시작했다.

카스파는 의자를 보며 '의자'라고 말하지만 의자에
앉을 줄 몰라 그것을 눕히는 사람이었고, 그가 명명한
모든 것은 우리가 아는 것이기도 하면서 동시에
아니기도 했다. 나는 이 복잡한 연극이 상징적인
연출로 점점 더 어려워지는 것에 대해 고민이 많았고,
무엇보다 이 텍스트를 무대 위에 올려야 하는 이유를
찾지 못해 혼란스러웠다. 언어와 주체, 언어와 폭력,

그런 주제라면 무대보다 더 깊이 다룰 수 있는
철학서도 있고 문학서도 있는데 어째서 연극이어야
할까, 하는 질문을 수없이 던졌다.

그러던 중 연습 막바지에 마법 같은 순간이
내게 찾아왔다. 카스파가 눈을 '눈'이라고 부르는
순간이었다. 무대 위에 가짜 눈이 내렸고, 그가
눈을 보고 '눈'이라고 외쳤다. 카스파는 손에 눈을
꼭 쥐었다. 눈은 순식간에 녹아버렸다. 그는 사라진
눈이 손바닥에 닿을 때 짜릿한 감각을 느꼈고, 눈이
손을 '불태운다'고 생각했다. 그에게 그 감각은
뜨거움이었다.

또, 눈은 그가 처음 본 흰색이기도 했다. 그 후로
그에게 모든 흰 것은 '눈'이었고, 누군가 그에게 건넨
하얀 손수건도 '눈'이 됐다. 그는 그 손수건을 손에 쥘
수 없었다. 눈은 손바닥을 뜨겁게 하니까. 카스파가
손수건을 가리키며 '눈'이라고 말할 때, 손수건은 조명
속에서 녹아내렸고(정확히는 손수건을 비추던 조명이
꺼졌다), 녹아내린 손수건이 있던 자리에는 하얀
먼지만 남았다.

그때 객석에 앉아 무대를 지켜보던 단원 중 한 명이
외쳤다.

"눈이 활활 타올랐네."

언어의 질서가 무너지는 순간이었다. '눈'이 아닌
것이 '눈'이 되고, 차가운 것이 뜨겁게 타버린 순간.
이런 순간들을 시적이라 부르지 않으면 뭐라고 부를
수 있을까.

나는 배우의 대사와 몸짓이 시적 변화를 맞이하는 순간을 목격하며, 페터 한트케의 언어에 무대라는 공간을 내어줘야 하는 이유를 깨달았다. 그 언어는 얼굴과 몸짓을, 그걸 바라보는 시선을 필요로 했다. 언어는 육체를 만나 감각이 됐고, 그것이 구현되는 곳이 바로 무대였다. 어떤 감정이나 대상을 적확하게 명명하기 직전에 만난 빛과 어둠, 몸짓과 음성, 그것은 언어가 되기 이전의 언어였고, 한트케가 창조한 카스파의 언어였다. 누운 의자와 뒤집어진 테이블, 어둠 속에서 타버린 손수건, 나는 그 이미지들을 통해 내가 가진 언어 바깥에 존재하는 세계를 상상할 수 있었다.

　극의 마지막 즈음, 카스파는 배웠던 언어를 하나씩 다시 잊었다, 아니 잃었다. 습득했던 문장은 단어로 흩어졌고, 단어는 다시 쪼개져 음성으로만 남았다가 그마저도 침묵 속에 묻혔다. 마지막 장면에서는 조명이 하얗게 켜졌고, 카스파는 흰빛 속으로 사라졌다.

　극이 끝났고, 하얀 조명도 꺼졌다. 어둠 속에 남은 것은 소리 없는 먼지뿐이었고, 내게는 그것이 모조리 다 타고 남은 재 같았다. 그날 연습을 끝내고 숙소로 돌아오는 길에 함박눈을 맞았다. 시골 극장은 눈에 파묻혀 하얗게 뒤덮였고, 우리는 그 광경을 몇 번이고 돌아봤다. 함께 걷던 누군가가 말했다.
　"뜨거운 풍경이네."
　모두 손을 뻗어 하얗게 타는 눈을 만졌다.

마르땅과 이안이와 창문을 열고 테라스에 나가
눈을 맞았다. 눈은 머리카락 위에, 추워서 웅크린
어깨 위에, 이안이의 빨간 혓바닥 위에 내려 녹았다.
우리는 불어로, 한국어로, 강아지의 언어로 '눈'을
불러보다가 순식간에 하얗게 덮인 세상을 보며
잠시 말을 잃었다. 말이 사라진 자리에는 고요가
찾아왔고, 우리는 그 침묵을 우리의 새로운 공용어로
받아들였다.

　한트케는 새로운 의미를 부여받은 언어는 세계와
우리를 새롭게 연결한다고 말했다. 지금 뜨겁게
내리는 눈 속에서 나는 새 언어로 세상의 고요를
읽는다. 새롭다.

　마치 처음 보는 눈처럼, 처음 만난 세상처럼.

숨

새 계절의 첫 입김을 봤다. 엄마, 아빠, 아이가 나란히
길을 걷다가 잠시 마스크를 내리고 호~

호~ 하고 차마 마침표를 찍을 수 없어 줄을 바꾼다.
입김에 마침표는 어울리지 않으니까. 그런 건 물결
표시가 적당하다. 보이지 않는 곳까지 멀리 퍼져
나가서 공기가 되고, 공기의 결이 되고, 다시 다른
사람의 숨이 될 수 있게, 호~

창문을 열자 내게 달려드는 것은 이 계절의 냄새.
오래된 책, 젖은 솔방울, 청량한 공기, 노동을 마친 흙,
뜨거운 커피의 그것이다. 나는 가슴 깊은 곳까지 숨을
들이마셨다가 다시 내뱉는다, 후~

차마 마침표를 찍을 수 없어 줄을 바꿔 다시 후~
숨에 마침표를 찍는 일은 불길하니까.

숨이란 단어를 불어로 옮기면 souffle(수플)이다.
언어를 옮길 때 내가 즐겨하는 일은 숨과 수플을
저울에 달아 무게를 재는 것. 숨과 수플, 명백히
한쪽으로 기운다.

숨이 가슴 팽팽하게 들이마셨다가 배꼽 아래까지
힘을 주고 내뱉는 호흡이라면, 수플은 어쩐지 어깨를
들썩였다가 하늘을 향해 가볍게 쉬는 호흡 같다.
숨을 묵직하게 내쉬어 배꼽 아래로 중심을 잡고,
수플로 머릿속에 있는 복잡한 생각들을 하늘로 톡
날려보낸다. 초대장에 이름을 적듯 신중하게 쉬는
숨과 끝말잇기를 하듯 가볍게 쉬는 수플.

내가 머무는 이곳은 숨과 수플 사이, 두 개의
언어가 시소를 타는 곳이다.

창문 밖으로 작은 입김들이 보인다. 윗집 아이들
이다. 남매는 오후가 되면 늘 태권도 도복을 입고
엄마와 함께 집으로 돌아온다. 오빠는 검은 띠,
동생은 노란 띠. 엄마는 애들 가방을 들고, 아이들
뒤를 정신없이 따라 걷는다. 행여 놓칠까 눈으로
몸으로 누군가를 좇는 일은 숨의 진폭을 얼마나 크게
만드는지…. 아이들 엄마의 숨소리가 매일 이층,
내 방 창문까지 들린다. 그렇게 커다란 호흡은
무엇이라 불러야 할까? 폐와 근육과 호흡은 괴롭고
심장의 박동은 즐거운 저 호흡은 숨보다 더 깊숙이
내려가고, 수플보다 더 가볍게 뛰어오른다.

저녁 7시 반에서 8시 사이가 되면 우리 집 천장에서는 세상이 곧 멸망할 것 같은 천둥소리가 들린다. 에너지 넘치는 윗집 아이들 덕분이다. 우르르 쾅쾅. 나는 거실에 가만히 앉아 뛰어다니는 아이들의 놀이를 상상해본다. '잡히면 죽는 놀이' '내 물건 가져가면 죽는 놀이'. 아마 그중에서 아이들이 제일 좋아하는 놀이는 '아빠가 너희들을 잡으러 간다'인 듯하다.

그 놀이는 언제나 윗집 남자의 고함으로 시작된다. "너희들을 잡으러 간다!", 이어서 천장이 진동하고, 아이들은 비명을 지르며 까르르 웃거나 누군가 쿵 떨어져 왕왕 울음을 터뜨린다. "조용히 해!" 윗집 여자가 소리를 지르면 그나마 조금 잠잠해지다가, 이내 윗집 남자의 "이놈들!" 소리와 함께 다시 천장이 들썩인다. 좀 너무한다 싶은 날에는 올라가서 항의를 해볼까 하다가도 아이들의 간지러운 웃음소리에 지고 만다. 어쩔 수 없다, 아이가 그렇게 웃으면⋯. 아이의 웃음소리를 막는 언어는 한국어로도 불어로도 배운 적이 없으니까. 살면서 지금까지 어떤 어른도 내게 "웃음을 뚝 그치지 못할까!"라고 소리친 적은 없었다.

하루는 윗집 여자가 빵 한 봉지를 가지고 내려왔다. 프랑스 사람이 사는 집이라고 크루아상을 사왔는데, 아이가 보채는 바람에 빵이 다 뭉개졌다고 했다. 저녁마다 애들이 뛰는 게 정말 미안하다고 고개를 숙이며 뭉개진 크루아상을 건네는데 그 모습이 어찌나 귀엽고 또 고맙던지! 나도 모르게 "애들 다 뛰면서

크는 건데요, 더 뛰세요. 실컷 뛰라고 하세요"라고
말해버렸다. 그러니 이젠 정말 천장이 무너져도 할
말이 없다. 빵도 진즉에 다 먹어치웠으니까.

그런데 오늘은 웬일인지 그 기운 넘치던 애들이
풀이 죽었다. 남자아이가 짧은 다리로 도복 바지를
질질 끌며 걷다가 한숨을 내쉰다. 휴~

아이가 숨을 내뱉을 때마다 작은 입김이 영혼처럼
스르륵 나타났다가 사라진다. 무슨 일이 있는 게
분명한데, 아이들 엄마는 덤덤하게 평소대로 아이들의
가방을 들고, 아이가 걸음을 멈추면 잠시 섰다가 다시
걸으면 뒤를 졸졸 따라 걷는다. 그림자인가? 이번에는
그림자놀이를 하는 것일까?

풀 죽어 걷던 남자아이가 하필이면 우리 집 창문
밑에 주저앉아 울음을 터뜨렸다. 아이들 엄마는, 그
엄마야말로 곧 울 것 같은 얼굴이지만, 걸음을 멈추고
아이 옆에 다가선다. 달려가 안아주고 싶은 마음을
누르고 아이가 울음을 그칠 때까지 가만히 기다린다.
엄마 뒤에서 오빠 우는 것을 지켜보던 여자아이가
어깨를 들썩이더니 덩달아 엉엉 운다. 오빠보다 더 큰
소리로 동네가 떠내려갈 듯 엉엉. 아이의 입에서 하얀
눈 뭉치 같은 숨이 내린다. 그리고 내리는 숨을 받아
안는 엄마의 한숨.

아이들의 뜨거운 입김과 엄마의 옅은 한숨이 만나
늦가을의 공기가 된다. 아마 멀리 떨어져 있는 애들
아빠도 그 공기를 마시고, 여기서 저 가족을 지켜보는
나도 그걸 마실 테지. 울음을 터뜨리는 사람과 울음이

그치기를 기다리는 사람, 함께 울어주는 사람의
입김이 만든 공기는 11월의 맛, 냄새.

언젠가 주저앉아 울던 내 곁을 가만히 지켜주던
사람의 숨도 저기 어딘가에 있을까. 등을 다독여주던
그 사람의 숨은 얼마나 먼 곳에서 다시 나를 만나러
올까. 그런 생각을 하면 모든 숨이 실처럼 연결되어
있는 것 같다.

모든 존재가 커다란 숨결의 일부이고 전부인 것만
같다.

한낮의 색채 속으로

엑상프로방스에 눈이 왔다. 카페에 앉아 있던 사람들
모두 창가로 시선을 돌렸다. 10년 만에 내린 눈이라고
했다. 내 앞에 앉아 있던 일곱 살 아이의 엄마는
아이가 태어나 처음 보는 눈이라고 말했다. 세잔의
도시이자 색채의 도시가 순식간에 하얗게 뒤덮였다.
나는 가방 속에 넣어둔 책을 꺼내 첫 페이지를 펼쳤다.
　도착하자마자 서점에 들러 구입한 책이었다.
서점 주인은 그 책을 페터 한트케의 엑상프로방스
여행기이자, 세잔을 통해 완성되어가는 작가의
글쓰기를 다룬 작품이라고 소개해주며, "세잔이
한트케의 스승이에요, 스승!"이라고 말했다.
나는 여행 책자는 필요하지 않았지만, 한트케의
문장이라면 기꺼이 내 걸음을 맡기고 싶었고 결국
책을 지도처럼 손에 쥐고 서점을 나왔다.

한트케가 엑상프로방스에 온 것은 오직 세잔 때문이었다. 1978년에 세잔의 그림을 만나면서 강렬한 탐구욕에 사로잡혔고, 초상화 〈팔짱을 낀 남자〉에 빠져 그림 속 인물을 자신이 쓰는 소설의 주인공으로 재창조했다. 그것이 바로 세잔과 한트케의 인연의 시작이었다.

세잔은 작품을 향한 내면적 충동과 동기를 찾아 생트빅투아르로 향했고, 한트케는 엑상프로방스와 생트빅투아르를 돌며 자신의 충동과 동기를 외부로 꺼내줄 대상을 찾아다녔다. 물론 한트케의 여행에서 중요한 것은 세잔의 내면적 동기를 그대로 따르는 것이 아닌, 자신만의 느낌대로 걷는 것이었다. 한트케는 그렇게 세잔을 좇으며 엑스에서 그만의 글쓰기 미학을 완성했다. 어떤 대상을 향한 강렬한 이끌림, 그것이 아마도 세잔과 한트케의 공통점 아니었을까.

나는 카페에 앉아 눈이 내리는 미라보 거리를 바라보며, 멀리 플라타너스 가로수 아래에 서 있는 한트케를 상상했다. 세잔의 그림에 완전히 매료되었던 그는 그 거리에서 온통 세잔의 풍경화를 봤을 것이다. 그때 내가 카페의 창 너머로 온통 한트케의 문장을 읽었던 것처럼.

내가 세잔의 그림을 처음 본 곳은 엄마의 작업실이었다. 엄마는 어디서 배운 적 없이 혼자 그림을 그렸고, 작업실에는 연습 삼아 르누아르, 고흐,

고갱, 세잔의 명화를 따라 그린 그림들이 있었다. 그중에서도 세잔의 풍경화는 유독 내 눈길을 끌었다. 세상에 그런 풍경은 없다고 생각했었으니까. 나는 엄마가 모자란 물감으로 흉내낸 세잔의 그림에서 빠져나와 한트케의 문장 속으로 한 발자국씩 들어갔다.

한트케는 노란색 금잔화와 소나무가 드문드문 있는 '폴 세잔의 길'에서 이런 글을 남겼다.

무엇이 가능한가, 바로 이 순간에! 세잔의 길에는 침묵!*

책 속에서는 짧게 여름비가 내리다가 그쳤는데, 내 앞에는 함박눈이 내리다 멈췄다. 일곱 살 아이의 눈은 거리를 잠시 덮었던 백색의 눈에서 쉽사리 빠져나오지 못하는 듯했으나, 햇빛이 들자 눈은 순식간에 녹아내렸고, 거리의 황토색 건물들이 빛과 함께 고유의 색을 드러냈다.

색은 거리를, 시야를 압도했다. 도시 전체가 태양에 물든 것처럼 보였다. 나는 침묵했다! 아름다운 것 앞에서 말이 저절로 물러났다. 한트케의 '침묵!'이 내게 찾아온 순간이었다. 바라보기, 오직 주의 깊게 보기, 그 일이 선행되어야 언어가 탄생할 수 있다는 한트케의 가르침과 함께. 그는 세잔을 통해 배운 것을

---

* 페터 한트케, 『세잔의 산, 생트빅투아르의 가르침』, 아트북스

그의 문장으로, 시선으로 내게 다시 전하고 있었다.

오랫동안 창밖을 바라봤다. 그리고 카페를 나왔다. 이제 풍경 속으로 걸어 들어갈 차례였다.

황토색 거리를 걷고 있노라면 곳곳마다 분수에서 물이 흘러내렸다. 엑상프로방스의 엑스(Aix)는 물이란 뜻이고, 물의 도시답게 도시 전체에 물소리가 배경음악처럼 들렸다. 그것은 오랜 세월 다듬어온 그 도시만의 언어였다. 이방인의 귀에는 그저 즐거운 노래로 들리는….

길을 걷는 동안 걸음이 느려졌음을 깨달았다. 주위를 둘러보니 사람들도 딱 그만큼 느리게 걷고 있었다. 한트케는 이곳의 느림이 익숙한 일상의 리듬을 깨뜨려준다고 말했다. 어쩌면 우리가 그토록 먼 길을 떠나는 이유도 그 익숙한 리듬을 깨뜨리기 위해서가 아닐까. 깨뜨려야 벗어날 수 있고, 깨져야 되찾을 수 있는 것이 있다. 예를 들자면, 우리가 매일 놓치고 사는 '지금, 이 순간' 같은 것. 여행지에서 우리는 평소와 다른 리듬 속에서 '지금' 눈에 들어온 것들을 충분히 보고, '현재' 느끼는 것들을 만끽한다. 먼 길로 돌아가며 느림을 되찾고, 그렇게 조급함에 훼손된 시간을 회복한다. 그러니 지금 놓치고 사는 것이 있다면 익숙한 리듬을 깨뜨려보자. 느림을 되찾아보자. 그것만으로도 자꾸 달아나는 '지금'을 되찾을 수 있을지 모른다.

느린 걸음으로 도착한 곳은 세잔의 아틀리에였다. 눈이 왔던 뿌연 하늘은 온데간데없고 북쪽 창문과

창문 밖 나무 사이로 하얀빛이 쏟아졌다. 늙을 리 없는
빛처럼 화가의 그림도, 숨결도 그대로 멈춰 있었다.
그곳에서는 오직 색채만이 시간을 받아들였다. 시간
역시 색채를 함부로 대하지 않았다.

　세잔이 쓰던 가구들, 수없이 그렸던 탁자 위 사과,
작업복, 정원의 풍경, 누구나 한 번이라도 그의
아틀리에를 본다면 세잔을 사랑하지 않을 수 없을
것이다. 빛이 아름다워서, 시간이 너그럽게 흘러서,
무엇보다 '보여지는 것의 사색 속에서' 머무를 수
있어서.

　세잔은 자신의 작업 방식을 "보여지는 것의 사색
속에서"라는 말로 표현했다. 똑같은 사물을 다른
시각으로 보는 일은 그에게 하나의 사색이었고,
사색이란 생각의 길을 따라 깊이 들어가보는 일이니,
그는 시각의 방향을 바꿔가며 사물의 본질 속으로
파고들었을 것이다. 그다음에 탄생한 언어가 바로
그림 아니었을까. 아틀리에에 걸린 그림들을 가만히
바라보다가 책 속의 한 문장을 떠올렸다.

　　　나는 늘 바깥세상에서(색채와 형체 속에) 흔들림
　　　없이 고요히 있어야 한다.*

　나는 세잔의 그림에서 한트케가 말한 고요를 봤다.
색채와 형체 속에서 흔들림 없이 자신의 언어를

＊ 페터 한트케, 『세잔의 산, 생트빅투아르의 가르침』, 아트북스

길어올리는 사람이 보였다. 거기, 오로지 보는 일을
통해서, 보이는 것을 따라 사물의 깊숙한 곳으로
들어가는 시선이 있었다.

"사과가 이상해."

엄마의 손을 잡은 한 아이가 세잔의 사과를
가리키며 말했다. 언젠가 엄마의 작업실에서 나도
똑같은 말을 한 적이 있었다. 나는 어렸고, 엄마는
막 그림에 빠져 있던 시기였다. 창고를 개조해서
만든 엄마의 작업실은 한겨울이면 입김이 나왔는데,
엄마는 밤이 되어도 그곳에서 나오질 않았다. 문은
닫혀 있었고, 쉽사리 열리지 않았다. 한번은 문틈으로
엄마가 사과를 그리는 것을 봤다. 탁자 위에 빛으로
색이 바래 덩그러니 놓인 추운 사과. 문 앞에 서서
엄마를 불렀다. 엄마는 대답하지 않았다. 나는 엄마가
나와 동생으로부터, 아빠로부터, 지긋한 삶으로부터
사과 속으로 도망치는 것이라고 짐작했다. 나는 덜컥
두려운 마음에 외쳤다.

"사과가 이상해."

그제야 엄마가 뒤돌아봤다. 나는 그렇게 달아나는
엄마를 붙들었다.

사과 앞에서 그때 그 이상한 사과를 떠올렸다.
그것은 세잔의 사과가 아니라 나의 사과였으나
세잔이 의도한 바였는지도 모르겠다. 한트케는 "다른
화가들은 그림을 그리지만, 세잔은 그림 뒤에 있는
그림을, 하나의 사물 안에 있는 다른 사물을, 하나의
사람 속에 있는 다른 사람을, 혹은 사물 속에 있는

인간을 그린다"고 말했다. 우리가 보는 것은 우리가
속한 세계를 나타내는 상(像)이라는 사실을 잘 알고
있었기 때문 아니었을까. 나는 엑상프로방스의 세잔의
아틀리에에서도 내가 속했던 나의 세계, 그러니까
당장이라도 집을 뛰쳐나가고 싶었던 여자가 붓을 들고
숨은, 한겨울에 입김이 나오던 그 작업실을 봤다.

　세잔의 아틀리에에서 나와 주변을 산책하다가
화가들의 언덕을 향해 걸음을 옮겼다. 천천히 걷다가
발이 피로해지면 눈에 띄는 벤치에 앉아 잠시 책을
읽었다. 남부의 빛은 넓게 퍼져나가고 있었다.
두 번째 멈춤의 순간이었던가, 책 속의 문장 한 줄이
또 나를 붙들었다.

　　　오직 외부에, 한낮의 색채 속에, 나는 있다.*

　그야말로 나는 한낮의 색채 속에 있었다. 어느덧
생각은 자유롭게 내가 있던 그곳을 벗어나 떠나온
모든 곳을 되짚었다. 번잡한 도시, 내 작은 아파트,
유년 시절의 골목, 우리 집, 엄마. 그리고 눈부신 빛 한
줄기에 순식간에 '지금, 이곳'으로 되돌아왔다.
　한트케는 "인생의 매 순간은 다른 모든 순간과
연결된다"고 말했다. 필요한 것은 오직 자유로운
상상뿐이라고. 나는 모든 순간이 연결되는 지점에

* 페터 한트케, 『세잔의 산, 생트빅투아르의 가르침』, 아트북스

'내'가 있다는 사실을 깨달았다. 과거든 미래든 나는 언제나 내게 돌아왔다. 최종 목적지는 '나'였다. 그리고 그렇게 떠나고 돌아오며 그렸던 작은 원이 나의 세계를 조금씩 확장시켰다.

나는 나를 붙잡았던 문장 옆에 이렇게 새겨 넣었다. 나는, 어디에나, 있다.

다시 오르막길을 걸었다. 화가들의 언덕이 나왔다. 세잔은 말년에 매일 이 길을 걸으며 언덕에 올라 생트빅투아르를 화폭에 담아냈다고 한다. 오르막을 오르는 동안에는 그 산이 정말 거기 있을까 싶었는데, 세잔이 그림을 그렸던 자리에 서보니 진짜 생트빅투아르가 보였다. 색이라기보다 광채에 가깝다는 그 민둥산이 빛나고 있었다.

세잔은 같은 자리에서 보는 각도를 바꿔가며 산을 그렸다. 나는 시간이 지날수록 부패하는 사과를 그렸던 세잔이 바위산을 마주하며 무엇을 느꼈을까 상상했다. 매일 오르막길을 오르며 육체의 노화와 생명의 유한성을 절감하면서 주름 하나 생기지 않는 산을 마주할 때마다 산의 영원성을 탐냈을까. 자신을 한없이 작다고 여겼을까. 구도자처럼 산을 목도한 화가의 마음을 물었다. 본다고 생각한 것이 아니라 실제 본 것을 그려야 한다고 말한 세잔은 무엇을 보고 그렸을까(실제 생트빅투아르 산과 세잔의 산은 닮지 않았다). 그것은 생트빅투아르가 내게 던지는 물음이었다. 답은 쉬이 오지 않았다.

집으로 돌아오는 차 안에서 책을 마저 읽었다. 머릿속에서 책으로 만난 한트케의 엑상프로방스와 내가 밟았던 장소들이 뒤섞였다. 그것은 세잔의 시선과 한트케의 문장 그리고 나의 기억이 뒤섞이는 일이기도 했다. 그렇게 내가 본 것과 인식한 것 사이에 작은 틈이 생겼고, 나는 그 틈 속에서 본다는 것의 의미를 어렴풋이 이해했다. 하나의 장소는 내면과 외면이 만나는 지점이고, 내가 본 그곳은 나의 심상이며, 내가 쓰는 것은 그 심상의 언어라는 것을.

산에서 멀어진 지금, 나는 산이 던진 물음에 대한 답을 존 버거의 "일곱 생을 거듭하여 살더라도 그 한순간과 똑같은 산은 다시 볼 수 없다"라는 문장에서 찾아냈다. 눈을 들어 대상을 바라보는 모든 순간이 유일무이하다는 뜻일 것이다. 그러니 노년의 세잔이 보고 그린 것은 산이 아니라 매일 달라지는 빛, 단 한 번도 같은 적 없는 풍경, 유일무이한 순간, 다시 오지 않을 생의 하루가 아니었을까.

120

나무가 되는 꿈

나무가 되는 상상을 한다. 상상이라는 말이 조금
부끄러워 요즘은 명상이라고 말하지만. 눈을 감고
호흡하면서 발바닥에서 나온 뿌리가 땅속 깊은
곳까지 내려가고, 두 팔에서 가지가 자라고, 이마에서
수십 개의 나뭇잎이 펄럭이는 것을 느껴본다. 바람이
불면 이마가 간지럽고, 비가 오면 팔이 무겁다.
상상이 이미지라면 명상은 감각이다. 나는 지금 모든
감각으로 내가 된 나무를 본다.

언젠가 봤던 나무다. 산책길에서, 여행지에서,
옛날에 살던 집에서. 내가 본 모든 나무의 기억이
지금 내가 호흡하는 나무가 된다. 내게 본다는
행위는 기억으로 완성된다. 기억하지 못하는 것은
제대로 본 것이 아니다. 사람의 얼굴을 잘 잊고, 길을

기억하지 못하고, 책의 제목을 까먹는 나는 보는 것에
서툰 사람, 마음의 시력이 약한 사람. 안경을 쓰는
마음으로 같은 길을 자주 걷는다. 사람의 얼굴을 오래
본다. 책의 제목을 몇 번이고 노트에 적는다. 그렇게
시력을 교정한다.

내가 오래 기억하는 나무는 라일락이다. 그 나무는
내가 여덟 살 때 우리 집 마당에 왔다. 한 번도 꽃을
피워본 적 없었던 아기 나무였다. 나는 그 벌거숭이
라일락이 좋아서 매일 그것을 만지고 쓰다듬고
껴안았다. 할 수만 있다면 나무를 뿌리째 뽑아
들고 내 방으로 올라가 침대에 함께 누웠을 것이다.
좋아하면 다 곁에 두어야 하는 줄 알았으니까.

나무에 '밍'이라는 이름을 붙여줬다. 『나의 라임
오렌지나무』의 '밍기뉴'에서 따온 것이다. 밍아, 밍아.
나무를 끌어안고 그 이름을 얼마나 많이 불렀던지.
그때는 부르면 세상이 온통 그 이름이 되었던 것들이
있었다.

밍이, 강아지 록키, 엄마.

내 세상을 다 차지했던 이름들.

밍이는 겨우내 시름시름 앓다가 꽃을 활짝 피워야
하는 봄을 앞두고 죽었다. 할머니는 밍이가 나 때문에
죽은 것이라고 했다.

"가만히 눈으로 예뻐하는 거지, 자꾸 만지면 그게
괴롭히는 거여."

할머니의 그 말에 얼마나 상처를 받았는지 모른다.
내가 만지면 죽는구나…, 하는 생각에.

아홉 살에 나무를 죽인 나는 자라나 식물 연쇄
살인범이 됐다. 내 손을 거쳤다 하면 죄다 시들시들
해지는데, 물도 주고 햇빛도 쬐어 주고 할 걸 다
하는데도 자꾸 죽는 이유를 잘 모르겠다. 마지막으로
유칼립투스 두 개와 선인장까지 죽인 이후로는
식물에 다가갈 때 뒷짐을 진다. 손이 먼저 나가지
않게. 그러니까 눈으로만 사랑하는 것, 나는 그게
어려운데….

얼마 전, 번역하던 책에서 '눈으로 쓰다듬는다'는
문장을 만났다. 뒷짐을 지고 문장을 열 번, 스무 번
읽었다. 소리 내지 않고, 종이를 팔락이지 않고.
생각해보니 나는 문장을 만지지 않고 사랑할 수 있다.
바라보는 일이면 충분하다. 단어를, 쉼표를, 호흡을,
문장에 감춰진 진짜 말들을. 그런 것들은 눈을 통해
내 안에 들어와 입술에 머물고 목구멍을 통과해
심장으로 향한다. 나는 문장을 죽이지 않고 사랑할 수
있다. 그런데 왜, 나무는 죽었을까?

우리 집에는 이제 딱 한 그루의 나무만 남았다.
다 죽어가는 나무를 엄마와 마르땅이 겨우 살렸다.
걔한테 갈 때는 뒷짐을 지자고, 햇빛이 반짝이는
나뭇잎이 아무리 찬란해도 흔들지 말자고 다짐한다.
우리 집 나무는 어디까지 자랄까? 아파트에서 자라는
작은 나무가 나이테를 가질 수 있을까? 나무가 되는
명상을 하다가 그런 생각을 해본다. 생각을 멈추라고
하는 게 명상인데, 내 명상 나무는 잔가지가 너무 많다.

나무 명상이라는 게 올바른 명상법인지 잘
모르겠다. 명상수련센터 같은 곳에서 제대로 배운
것은 아니고, 대학에서 연극을 공부하던 시절에 만난
인도 출신의 무용수에게 배운 것이다. 그 친구는 춤을
추기 전에 늘 가부좌를 틀고 앉아서 명상을 했다.
자세를 다듬고, 저음을 내는 악기를 다루듯 호흡을
다루면서 숨을 쉬었다.

　어느 날 명상을 가르쳐달라는 내게 그가 말했다.
"잘 봐, 보고 따라해 봐. 물론 처음에는 그저 흉내를
내는 것이겠지. 그렇지만 네가 본 것이 네 몸에
완전히 익숙해지고, 그게 네 몸의 일부가 되면 그때
너는 깨닫게 되는 거야. 깨닫는 것은 몸이 먼저야.
그다음이 정신이지. 몸이 알게 되면 정신도 따라와.
그러니 흉내내기가 진짜가 될 때까지 해봐."

　그날 이후로 그가 가부좌를 틀고 앉으면, 나 역시
그 뒤에 앉아 명상을 흉내냈다. 호흡에 집중하며
점심으로 먹을 샌드위치와 저녁에 있을 술 약속을
생각하기도 했고, 이번 달 생활비 같은 구체적인 걱정
부터 나는 누구인가 하는 추상적 고민까지, 머릿속에
생각의 폭죽이 터졌다. 늘 작은 평화보다 뒤틀리는
몸이 조금 더 앞섰다. 친구한테 골반이 틀어져서 오래
앉아 있을 수 없다고 말했어야 했는데….

　어느 날 그 친구가 꼬이는 몸에 어쩔 줄 몰라
하는 내가 웃겼는지 불쌍했는지, 명상이 잘 안
되면 나무를 생각해보라고 했다. 처음에는 나무를
떠올리다가 눈앞에 있는 것처럼 나무를 보고, 내가

나무가 되는 것을 느끼면 된다고. 그것이 나무 명상의
시작이다. 왜 하필 나무였을까? 꽃도 있고 바람도
있고 고양이도 있는데. 한 번씩 그걸 묻고 혼자 답을
찾아본다. 어제까지 내가 찾은 가장 그럴듯한 답은
'그저 그 자리에 있어서'였다. 땅속에 뿌리를 박고
한자리에 머물면서 더 좋은 풍경, 더 많은 햇빛을
가지려고 하지 않으니까. 뭘 더 원하지 않는 삶을
살고 싶은데, 뿌리가 아닌 발을 가진 나는 그게
어렵고. 그래도 발에서 뿌리가 자라는 상상을 하면,
들썩이는 엉덩이를 바닥에 조금 더 붙이고 앉아 있을
수 있다. 한곳에 머물러야 보이는 것들을 볼 수 있다.
이제 나를 괴롭히는 그 수많은 열망만 덜어내면 정말
나무가 될 수 있을 것도 같은데.

"명상을 하면 무슨 효과가 있어?"
　명상을 막 시작했을 때 이런 질문을 하는 사람들을
만났다. 그때는 이것저것 대답해줄 게 많았다. 머리가
맑아지고 마음의 요동이 덜하고 집중력이 늘어나고
등등. 살이 빠지냐고 묻는 이도 있었는데, 호흡만
제대로 해도 다이어트 효과가 있다는 이야기를
들어본 적 있지만, 나는 야매로 배워서 그런 효능을
누려본 적은 없다. 그러다가 정말 명상에 빠져 명상을
맹신했을 때가 있었다. 그때는 효능, 효과… 그런
말을 들으면 몸서리를 쳤다. 왜 모든 걸 더하기 빼기
셈으로 이야기하는 걸까 하는 반감에. 품는 것보다
거부하는 게 더 많았던 시기였다. 역시 야매로 배워서

그랬던 것일까? 요즘은 이런 마음 저런 마음이 다
적절하게 식어서…, 명상을 잘 모르겠다는 결론에
이르렀다. 왜 하는지 모르겠지만 예전부터 했으니까
그냥 하는 일 중에 하나다. 나무가 되어보는 일,
호흡을 돌보는 일이 나쁜 일은 아니니까. 나쁜 일이
아니고, 내가 할 줄 알고, 쭉 해온 일을 계속하고
있다. 매일 똑같은 일을 따지지 않고 하는 게 좋다.
그런 걸 하면서 세월을 보내는 게 좋다. 꼭 나이테를
받아들이는 나무 같아서.

　　오늘 아침에도 나무 명상을 마치고 창가에 서서
진짜 나무들을 봤다. 왜 나무였을까, 또다시 찾아온
질문에 오늘의 답은 '예뻐서'다. 지금은 가을이고,
나무가 참 예쁘니까.
　　이제 곧 알록달록한 나뭇잎들이 떨어질 것이다.
저 나무들은 어쩌면 그렇게 찬란한 이별을 할까.
나라면, 내가 정말 나무가 된다면, 나는 내 안에
뿌리를 내리고 영원히 나를 떠나지 않을 수 있을 것
같은데….
　　그런 생각을 하며 창문 밖 나무를 눈으로
쓰다듬는다. 사랑을 배우기에 이토록 좋은 장소가
또 있을까. 함부로 손을 뻗어 망가뜨리지 않고,
가만히 두고 볼 수 있는 사랑 말이다.
　　그러니 여기, 창가에서 사랑을 다시 배워본다.
　　가만히 바라보는 사랑을,
　　눈으로 쓰다듬는 사랑을.

창문 메이트

창가에서 만나자, 약속한 것은 아니지만 오늘도
약속처럼 창가에서 만난다. 먼저 도착하는 사람은
나다. 뒤늦게 오는 동물은 이안이고. 깨기 싫은 잠을
자다가, 장난감을 물고 놀다가 내가 창가에 서 있으면
나를 발견하고 느릿느릿 네발을 옮긴다. 이안이는
내가 보는 모든 것을 궁금해한다. 창문 밖 풍경,
컴퓨터 화면, 걷다가 가끔 올려보는 하늘까지. 까만
눈으로 내 시선을 쫓는다.
"날씨 좋다."
　창문을 열고 이안이에게 말을 걸어본다. 꼬리를
살랑살랑 흔들던 이안이가 납작 엎드려 실내화를
혀로 핥다가 다리에 얼굴을 비빈다. 함께 산 지 2년,
이안이의 몸짓의 의미를 이제 조금 읽을 수 있다.

이안이는 내가 자주 다니던 서점의 앞집, 정육점 사장님의 강아지 모카의 막내다. 마르땅과 이안이가 함께 다니면, 강아지의 종이 '유럽 종'이냐고 묻는 사람들을 가끔 만난다. 그러면 마르땅은 '익산 시장 종'이라고 대답하지만, 한국말이 서툰 그의 발음 때문인지 그걸 불어라고 오해하는 경우가 종종 있다. 그러니까 이안이의 종은 '익성시흐정종'. 강아지 종의 역사를 새로 쓰는 중이다.

사람들이 "아, 프랑스 강아지구나"라고 관심을 보이면, 마르땅은 이안이가 예쁘다는 소리인 줄 알고 "아씨!"(Assis, 앉아)를 외치고, 이안이는 허리를 꼿꼿하게 세우고 우아하게 앉아 마르땅을 바라본다. 출신을 속이는 응큼한 강아지, 이게 다 간식 때문이다.

동물이 어떻게 사람의 언어를 습득하는지 잘 모르겠지만, 이안이는 확실히 불어에 더 익숙하다. 주 보호자는 내가 아니라 마르땅이고, 그 둘 사이에 주고받는 언어가 불어이니 당연한 일이다. 물론 한국 강아지가 한국어를 알아듣지 못해서 일어나는 안타까운 일도 종종 있다. 애견 카페나 강아지 공원에서 간식을 나눠주는 사람들이 "앉아"라고 말할 때, 혼자 못 알아듣고 깡충깡충 뛰는 이안이는 얼마나 짠한지. 간식도 못 먹고 물끄러미 나를 보는 이안이의 표정은 조금 웃기고 약간 불쌍하다. 그런데 얼마 전에 강아지 공원에서 만난 웅이(강아지, 14개월 추정) 누나가 내게 물었다.

"불어로 '앉아'가 뭐예요?"

"아씨요. '아씨'라고 하면 돼요."

내 대답에 웅이 누나는 쑥스러운 듯 미소를 지으며, 간식을 꺼내 이안이를 향해 외쳤다.

"이안, 아씨!"

이안이가 앉았고, 사람들이 손뼉을 쳤고, 강아지들이 짖었다.

그날 이후 그 공원에서 불어를 말하는 사람들이 하나둘 생기기 시작했다. 강아지의 눈높이에 맞춰 무릎을 구부리고 "아씨" "쿠셰"(Couché, 누워). 외국어를 말하며 볼이 발그레해지는 사람들을 만날 때마다, 나와 마르땅은 함께 무릎을 구부리고 사람들에게 불어를 가르쳐준다. 어떤 날은 다 큰 어른들이 네발로 엎드려 합창하듯 외쳤다.

"아씨!" "쿠쉐!"

이안이가 앉고, 누웠다. 웅이도, 릴리도, 유월이도, 주몽이도. 이게 다 간식 때문이다.

오늘도 이안이와 창문 앞에서 만났다. 창 너머에 봄이 왔다. 우리가 함께 맞는 두 번째 봄이다.

"이안아, 봄이야."

한국어로 말하면 돌아보지 않는 버르장머리 없는 녀석.

"Enfin, c'est le printemps."(마침내 봄이야)

불어로 말했더니 그제야 살짝 눈길을 준다. 그리고 살포시 앉아 앞발을 내민다.

봄이고 뭐고, 간식 달라는 뜻이다.

은유도 비유도 없는 시

부모님 댁에서 시집 한 권을 가져왔다. 큰 나무
수반에 담겨 있던 시집이다. 엄마는 수반에 시집들을
눕혀놓는다. 신경림, 천상병, 정호승, 최영미, 김용택,
김사인 등등. 누워 있는 시집 중에 내가 원하는
것을 찾으려면, 한 권씩 꺼내 이름을 확인하고 다시
눕혀드려야 한다. 참으로 유교적인 책 정리 방식이
아닌가. 신경림을 깨웠다가 다시 눕힐 때면 오래전에
읽었던 시는 하나도 생각나지 않고 시집을 만졌던
손가락의 감각만 되살아난다. 아무래도 나는 시를
점자처럼 읽었던 모양이다. 어쩌면 지금도. 여전히
오돌토돌한 말들이 만져진다.
    가져온 시집은 김사인의 『가만히 좋아하는』이다.
엄마 것은 아니고, 내가 예전에 샀다가 두고 온

것이니까, 말하자면 되찾아온 것이다.

되찾아온 시집을 내 방 창가에 눕혔다. 나 역시
시집을 눕혀놓는다. 누운 말들을 따라 가만히
고개를 기울이는 시간이 좋다. 나는 시를 잘 모르고,
잘 모르는 것을 그냥 바라보는 것이 좋다. 그곳에
적힌 시어의 의미를 다 알 수 없지만, 시인이 고개를
기울이는 방향으로 내 고개를 살짝 기울이면 보이는
것이 있고, 내게는 그것만으로도 시집을 가져야 할
이유가 충분하다.

시를 배운 적이 있다. 스물한 살 봄에서 여름까지
시를 쓰고 읽고 들었다. 그때도 시는 잘 몰랐지만,
시인인 교수님을 만나는 것이 좋았다. 그분이 안경을
코끝에 살짝 걸치고, 불경을 외듯 시를 읽어주시면
학생들의 미숙한 시도 그럴듯하게 들렸다.
"교수님, 시는 어떻게 쓰는 거예요?"
뜬금없이 그런 질문을 하는 애가 있었다.
교수님은 코끝에 살짝 걸친 안경 너머로 그 친구를
가만히 바라보다가 책상 위에 놓인 종이컵을 가리키며
이렇게 말씀하셨다.
"여기 종이컵이 있잖니, 가만히 이 종이컵을 봐.
종이컵이 말을 걸 때까지."
그때 강의실에 있던 학생 중 반은 웃고 반은 진지한
얼굴로 교수님을 봤다. 물론 나는 웃고 있던 학생 중
하나였고. 웃던 학생 중에 시인이 된 사람은 아무도
없다.

시를 쓰지도 않으면서 종종 종이컵 이야기를 떠올린다. 식당에서 밥 먹고 종이컵에 커피를 따라 마실 때, 아니면 친구네 집에서 종이컵을 재떨이로 쓸 때, 그릇이 없어 종이컵에 라면을 덜어 먹을 때, 문득 '종이컵이 있잖니'로 시작하는 그 문장이 떠올라서 혓바닥을 데거나 담뱃재를 밟는다. 오래 못 푼 수수께끼 같다. 종이컵, 도대체 그건 언제쯤 내게 말을 걸어올까?

종이컵은 말이 없지만, 내게도 말을 거는 풍경이 하나 있다. 해 질 무렵 창 너머로 쓱 지나가는 검은 봉지를 들고 있는 사람들. 아침에 바지에 단정하게 집어넣었던 셔츠가 밖으로 삐져나와 있고, 어쩐지 시큼한 막걸리와 김치 냄새를 풍기는 듯한, 그런 사람들을 보면 닮은 구석 하나 없어도 아빠가 떠오른다. 갈지자로 걷는 뒷모습만 봐도 아빠의 목소리가 들린다.

"밥 잘 먹어라."

아빠가 늘 하는 말이다. 은유도 비유도 없이 정말 밥 잘 먹으라고 하는 말. 어떤 때는 밥이 아빠의 유일한 관심사 같다. 밥 말고 다른 이야기를 별로 해본 적 없으니까. 내가 시를 잘 모르는 것은 아빠 탓인지도 모르겠다. 은유, 비유를 모르는 밥의 언어로 자랐으니….

"아빠 이야기는 쓰지 마라."

시집을 가져오던 날 뜬금없이 아빠가 말했다.

"쓸 말도 없어."

나는 그렇게 대답했다. 화가 나서 한 말이 아니라,
이제 정말 아빠에 대해서 쓸 말이 없기 때문이다.
그러니 아빠에 대한 글을 쓰진 않겠지만, 가끔 아빠를
위해 뭔가를 쓰고 싶다는 생각을 한다. 문제는
누군가를 위해 뭔가를 쓰겠다 마음먹으면 단 한 줄도
쓸 수 없는 내 고약한 필력이다. 처음에는 쥐어짜
보기도 하고, 능력 없음에 한탄하기도 하다가 이제는
쓰지 말자는 결론에 이르렀다.

　속 편하게, 쓰지 말자.

　다행히 세상에는 내가 안 써도 나보다 더 그를
잘 이야기해주는 글이 있다. 그런 시를 알고 있다.
내가 안 썼는데, 내가 쓴 것처럼 아빠한테 읽어주면
참 좋겠다 싶은 시. 되찾아온 시집에 귀퉁이 접힌
페이지를 펼치면 가만히 등장하는 시 한 편,
김사인의 「봄밤」이다.
　그 봄밤에는 나 죽으면 부조로 오만 원은 넣으라고
농을 던지는 남자와 따뜻할 때 먹으라고 풀빵을
건네는 남자, 술을 마시고 애국가를 부르는 남자,
목련같이 시부적시부적 떨어져나가고 싶은 남자,
여러모로 아빠를 닮은 남자들이 있다.
　시라면 등산복 이월 상품 세일 광고지보다 더
하찮게 보는 사람을, 그 시는 어쩌면 그리 잘 알고
있을까. 나만 보면 꼭 내일 죽을 것처럼 여기저기 안
아픈 곳이 없다고 말하는 그의 청승이 시 속에서는
얼마나 아름답던지….

어떤 청승이 말을 걸면 그런 글을 쓸 수 있을까.
종이컵처럼 가만히 보면 말을 걸어줄까. 아직 궁금한
게 많은데, 시 창작 수업은 이십 년 전에 끝났고 지금
내게는 말 없는 종이컵과 창가에 누운 시집, 그리고
창문 너머로 비틀비틀 걸으며 밥 잘 먹으라고 말하는
누군가의 뒷모습이 전부다.

읽어주고 싶은 시를 종이에 적어 아빠에게 줄까
고민하다가 마음을 접는다. 아빠의 "싫다"는 목소리가
벌써 들린다. 가만히 생각해보면 내가 '밥 잘 먹어라'는
말에 귀찮아하는 것과 다를 것 없다. 그러니 서운하기
보단 조금 웃기는 일이다. 닮기 싫은데 닮은 것도
웃기고.

「봄밤」은 내가 좋아하는 시. 나는 그 시가 아빠를
닮아서 좋다. 아빠의 어떤 모습이 몸서리치게
싫다가도 아빠와 닮은 어떤 것을 보면 속절없이
마음이 기운다. 내 마음이 기우는 쪽으로 그 시를
보내주고 싶은데, 아빠는 그것이 싫다고 하니 그냥
이곳에 적어본다. 아빠는 안 읽은 척할 것이고,
나는 또 모르는 척하겠지만.

이것이야말로 우리 사이의 은유와 비유 없는 시다.
가만히 바라보면 자꾸 말을 거는 서로를 향한 작은 시.

창으로 만나기

세르지의 은퇴 공연이 있었던 날의 이야기다.
프랑스에서 두 번째 락다운이 해제된 직후의
겨울이었다. 공연 시작은 한국 시각으로 밤 열 시,
프랑스 시각으로는 오후 두 시였다.

나는 여덟 시간의 시차를 계산해 커피를 마셨고,
타르트를 구웠고, 와인 한 병을 준비했다.
"자두로 담근 술이 있었다면 더 좋았겠다."
마르땅이 말했다.

겨울에는 자두주를 마셨다. 여름에 세르지의
정원에서 따온 열매로 옆집 할머니의 레시피를 따라
담근 술이었다. 그때 살았던 동네는 주민의 대부분이
할머니들이었고 그들의 주방 찬장에는 정원에서

딴 열매로 담근 과일주가 하나씩 감춰져 있었다.
할머니들은 마녀처럼 그 과일주로 사람들을 유혹했다.
"작년에 담근 술이 정말 달아."

그 말에 혹해서 일단 그들의 주방에 발을 들이고
찬장을 열어 과일주를 한 잔 마시면, 해가 질 때까지
그 집을 나올 수 없었다. 체리주에 아몬드로 시작한
간단한 술자리는 간단한 식사, 타르트와 와인이 됐고,
다시 디저트와 사과주 같은 식후주가 됐다.

"이렇게 젊은 사람의 시간을 뺏으면 안 되는데…."

호호 웃던 할머니들은 맛있는 술과 음식으로
우리의 시간을 통째로 훔쳤고, 우리는 그 달콤한
유혹에 넘어가 기꺼이 하루를 도둑맞고는 했다. 물론
시간을 빼앗긴 대신에 얻는 것도 있었다. 과일주나
타르트, 그리고 입속에서 숲처럼 번지던 자두나무,
체리나무, 노간주나무, 사과나무의 향기 같은 것.

할머니들의 집 앞을 지날 때면 살짝 열린 창문으로
우리를 붙잡던 그 냄새들. 지금도 여전할까?

자두를 따는 계절과 자두주를 마시는 계절에는
세르지를 무대에서 볼 수 없었다. 더운 계절에는
수확 때문에, 추운 계절에는 관절 때문에. 하나씩
제약이 늘어가는 노배우를 두고 우리는 '제철 과일
같은 배우'라고 놀렸다. 그때부터 은퇴 이야기는
꾸준히 오갔지만, 친구들은 누군가 그를 억지로
끌어내리지 않고서야 그가 스스로 무대에서 내려오는
일은 절대 없을 것이라고 말했다. 육십대 중반을

홀쩍 넘긴 그는 마치 '이제 가야지'라고 말하며
백 살을 사는 노인처럼, '이제 은퇴해야지'라는
말을 입에 달고 살면서 계속 무대 주위를 맴돌았다.
주연에서 조연으로, 조연에서 단역으로. 내가 그와
마지막으로 자두주를 마셨던 날, 그는 대사가 단 두
마디뿐인 마을의 노인을 연기하고 돌아왔다. 그는
그 역할을 위해 매일 정원을 돌며 노인처럼 걷는
법을 연습했다고 말했고, 그때 친구들은 "노인이
무슨 노인이 되는 연기를 연습해"라고 놀렸지만,
그의 다음 말이 우리를 숙연하게 했다. "그러니까,
이제 못하겠다 싶었어." 그는 공연이 끝나고 집까지
돌아오는 길에 긴 겨울을 느꼈다고 말했다. 이제
겨울이구나, 과일주나 마시며 지내야겠구나, 어쩌면
봄은 다시 오지 않을지도 모르겠다…, 라면서.

　물론 그때는 아무도 그의 말을 믿지 않았다. 우리는
그가 금세 또 무대에 오를 것이라 장담했고, 어쩌면
무대에서 장렬하게 죽음을 맞이할지도 모른다고
농담처럼 말했다. 그때까지만 해도 바이러스 따위가
극장 문을 닫게 하고, 세르지를 영영 무대 밖으로
밀어낼 줄은 꿈에도 몰랐던 것이다.

　세르지는 코로나19로 일자리를 잃었다. 작은
공연장들이 줄줄이 문을 닫았고, 공연은 취소되거나
미뤄졌다. 미뤄진 공연은 일 년 후가 될지 이 년 후가
될지 알 수 없었다. 올해 칠십 세가 된 그에게 일 년
후와 이 년 후는 배우로서 얻는 것보다 잃는 것이 더
많은 시간이었을 것이다.

프랑스에 처음 락다운이 시작됐던 3월, 그리고
바이러스의 종식이 영영 찾아오지 않을 것 같았던
4월, 5월, 그즈음 세르지는 은퇴를 결정했다고 메일로
알렸다. 그는 짧은 글의 마지막에 이런 말을 적었다.
"아, 이제 정말 끝이구나. 망할 놈의 바이러스.
제기랄."

인터넷 기사로 프랑스의 락다운 소식을 들었을 때,
나는 자두주를 담그던 집들, 그 동네의 할머니들을
떠올렸다. 찬장 속의 과일주를 넣어두고 누군가를
기다리고 있을 사람들, 그 줄지 않은 술통을 안고
어떻게 지내고 있을까? 그런 생각을 하며 세르지에게
답장을 보냈다.
"진짜 망할 놈의 바이러스다, 제기랄."

세르지의 마지막 공연이 시작되기 30분 전, 우리는
컴퓨터를 켰다. 화면 너머로 그의 정원이 보였다.
늦가을의 자두나무는 여름의 풍성했던 수확을 상상할
수 없을 만큼 앙상한 가지를 드러냈다. 노란빛 혹은
회색빛을 띠는 마른 잎들은 황량했고, 넓은 정원
한쪽에는 세르지가 매일 신었을 정원용 장화와 낙엽
쌓인 수레가 보였다. 한여름, 세르지의 건강한 얼굴과
푸릇푸릇했던 정원, 알록달록했던 화단, 가지가
휘어질 정도로 열렸던 자두, 모두 먼 나라의 먼
시간이 되어버렸다.

우리의 얼굴은 공연을 보러 온 친구의 태블릿 PC
위에 둥둥 떠 있었다. 락다운 해제로 이제 막 사람들을
만나게 된 이들이 무릎을 굽혀 인사를 건넸다. 그들의

얼굴을 알아보는 데는 몇 초의 정적이 필요했다.
가까이 다가가면 더 자세히 볼 수 있기라도 한 듯,
냄새도 숨결도 없는 화면에 코를 박고, 나는 건너편에
있는 그들의 뺨에 내 뺨을 맞대고 인사하기를
희망했다.

　반가운 얼굴들이었다. 못 본 지 일 년, 이 년 사이에
분위기가 조금 달라진 옛 친구들. 그들은 두 손에
태블릿 PC 또는 핸드폰을 들고 있었고, 그들의
손바닥 안, 네모난 화면 속에는 또 다른 관객들이
우리를 향해 손을 흔들고 있었다. 우리는 창과 창을
마주하고 인사를 나눴다. 그러니까 정원에 다섯 명,
그 다섯 명이 들고 있던 화면 속 관객이 일곱 명, 모두
열두 명이 세르지의 정원에 모인 것이다. 화면 안에서
손을 흔들던 이들은 우리처럼 외국이나 먼 곳에 사는
친구들이었고, 팬데믹의 장벽을 넘을 수 없는, 한때
자두를 함께 따던 사람들이었다.

　우리는 친구의 무릎 위에 올려졌다. 정원 곳곳에
흩어진 좌석 덕분에 시야를 확보하는 것은 어렵지
않았으나, 니코틴 중독자인 친구가 기침할 때마다
눈앞의 자두나무가 지진이 난 것처럼 흔들렸다.

　자두나무 앞에는 '이곳이 무대입니다'라는 푯말이
꽂혀 있었다. 세르지의 반려인, 안느의 글씨체라는
것을 한눈에 알아볼 수 있었다. 극장으로 돌아갈
수 없는 반려자를 위해 손수 은퇴 무대를 마련하는
마음은 어떤 것일까. 푯말을 만들며 두 사람이 싸우고
웃었을 시간을 상상해봤다.

열두 명의 관객이 자리에 앉자 그녀가 인사를 했다. "세르지의 마지막 공연에 오신 걸 환영합니다. 오늘은 핸드폰, 태블릿을 끄지 말아주세요. 창을 열어 두고 만나요. 인터넷 문제로 중간에 끊어져도 어쩔 수 없어요. 하늘에 맡기자고요, 늘 그랬듯이. 그리고 즐겨요!"

공연이 시작됐다. 세르지가 등장했다. 그는 입고 있던 외투를 벗어 나뭇가지에 걸었다. 리허설할 때마다 입었던, 안느에게 선물 받았다는 그 연습복 차림이었다. 배우가 입는 의상은 자신의 두 번째 피부라는 이야기를 들은 적 있다. 그는 이제 자두나무 밑에서 한때 가장 화려했던 경력을 자랑하던 배우로서 있었다. 세르지는 천천히 자두나무를 한 바퀴 돌았다. 그 길을 무대로 향하는 통로로 쓰려는 모양이었다. 그가 한 바퀴를 다 돌고 사람들 앞에 섰을 때, 그는 몰리에르의 스가나렐이 되어 있었다. 세르지만큼 코믹 연기를 잘하는 사람이 또 있을까? 나는 그 짧은 대사에도 여지없이 웃음을 터뜨리고 말았다. "세르지가 연극을 시작했을 때, 처음 맡았던 역할이 스가나렐이래."
마르땅이 말했다.
세르지는 스가나렐의 대사를 마치고 다시 자두나무 한 바퀴를 돌았다. 또 다른 극이 시작됐다. 이번에는 〈드라큘라〉, 다시 나무 한 바퀴를 돌자 체호프의 〈갈매기〉 속 한 장면이 펼쳐졌다. 나무를 돌 때마다

세월이 흘렀고, 세르지는 그렇게 자신을 거쳐간
모든 인물을 3분짜리 모놀로그로 연기했다. 매번
새로운 인물이 등장했다. 그는 나무 주위를 좁게
천천히 돌기도 했고, 넓게 두 번 세 번 돌기도 했는데,
어쨌든 결국은 늘 관중을 마주하는 자리, 무대로
돌아왔다. 세르지는 연극 무대를 통과해온 자기
자신을 연기하는 듯했다. 넓게, 좁게, 천천히, 빠르게.
결국은 자두나무 앞으로 돌아오는 것이 그의 운명인
것처럼. 나무를 세 바퀴쯤 돌았을까, 그가 갑자기
나무 뒤에 숨어서 나오지 않았다. 사람들은 그의
등장을 기다렸다. 한동안 나무 뒤에 웅크리고 있던
그가 이번에는 모습을 감춘 채로 대사를 시작했다.
"나는 삼류배우요. 내 무대는 커튼 뒤, 관객이
볼 수 없는 곳입니다. 이곳에서 나는 나의 대사를
시작합니다. 그러니 누가 나를 좀 불러주시오.
커튼을 열어주시오."
    나와 마르땅은 손을 꼭 잡고, 화면 너머로 혹여
우리의 숨소리가 들릴까봐 호흡을 꾹 참았다. 그러고
한참 후, 다시 모습을 드러낸 세르지가 말없이 나무를
돌고 또 돌았다. 도는 동안 다리를 절기도 했고, 숨을
헐떡이기도 했다. 한번은 나무 앞에 서서 대사 두
마디를 외쳤고, 또 한번은 말없이 서 있기만 했다.
마침내 무대를 내려온 세르지는 객석 빈자리에
앉았다.
    공연이 끝났다. 우리는 힘껏 박수를 쳤지만, 텅 빈
자두나무 아래를 제대로 볼 수 없었다. 아무도 말을

잇지 못하고 있을 때, 세르지가 다시 무대에 올랐다.
정원용 모자를 쓰고, 장화를 신고, 수레를 끌고.

그는 화면을 향해 손을 흔들며 말했다.

"친구들, 자두 따는 날에 다시 만나세. 이제 연극이
끝났으니 파티를 즐기자고!"

그는 수레에서 샴페인을 꺼내 뚜껑을 열었다. 펑
소리와 함께 관객 다섯 명의 박수 소리와 그들이 들고
있던 태블릿 PC, 핸드폰 화면 속 환호 소리가 들렸다.

우리는 잔을 들었다. 건배를 하고 와인을 한 모금
마시고 나니 눈앞에 있던 세르지가 사라지고 온통
마른 풀과 사람들의 발만 보였다. 흥분한 친구가
태블릿을 바닥에 내려놓은 것이다. 아무렴 어떤가,
연극이 끝났는데. 나는 세르지의 장화와 건배를
나눴다.

오 분쯤 지났을까, 누군가 태블릿을 주워 들었다.
둥근 코가 먼저 보였고 그다음은 입가의 주름, 푹
꺼진 볼, 축 처진 눈이 화면에 나타났다. 세르지였다.

"안녕, 친구들."

세르지가 말했다.

"오늘 최고였어."

마르땅이 엄지를 내밀었다.

"내 은퇴 무대는 파리국립극장이 될 줄 알았는데
말이야…."

세르지가 웃으며 말했다.

"아무렴 어때."

내가 말했고 마르땅은 고개를 끄덕였다.

"그래, 아무렴 어때."

세르지가 웃었다.

우리는 한동안 말없이 화면을 바라봤다. 그리고 서로를 향해 가만히 미소를 지었다.

"이제 뭐 할 거야?"

마르땅이 물었고,

"이제부터는 제대로 놀아볼 거야. 억울하면 화면을 넘어와봐."

세르지가 웃었다.

다시 바닥이 보였다. 화면 너머로 끊어졌다 연결됐다 하는 웃음소리가 늦은 밤까지 희미하게 들렸고, 우리는 그 소리를 배경음악 삼아 와인을 마시고 타르트를 먹었다.

"옆집 할머니가 알려준 그대로 만들었는데, 그 맛이 안 나네. 잘 사실까?"

내가 묻자 마르땅은 대답이 없었다.

"연결된 것 같으면서도 먼 것 같고 그래."

나는 아쉬운 마음을 그렇게 고백했고, 마르땅은 나보다 더 씁쓸한 표정으로 말했다.

"닫힌 창 같다. 좀 열리면 좋겠네."

"코로나가 끝나긴 할까, 세르지를 다시 만날 수 있을까?"

내 질문에 그는 한숨을 길게 쉰 뒤 힘주어 말했다.

"그럴 거야, 그래야지."

여기까지는 세르지의 은퇴 무대가 있었던 날의
이야기다. 나는 그날 이후로도 인터넷 창을 열고
글이나 메일을 썼고 줌으로 사람들을 만났지만, '닫힌
창'이란 말을 쉽게 잊을 수 없었다.

그즈음 우연히 한 잡지에 실린 소설가 김연수의
글을 읽게 됐다. 글의 제목은 「거울이 아니라 창에서
글쓰기」. 아티스트들이 48시간 동안 쉬지 않고
공연과 퍼포먼스를 하는 장면을 유튜브로 생중계하는
프로젝트에 김연수 작가가 참여했던 경험을 기록한,
창을 사이에 두고 서로가 어떻게 연결되어 있는지를
이야기하는 글이었다.

김연수 작가는 그가 썼다 지웠다 하는 장면을
실시간으로 보여준다는 생각을 하자마자, 이전까지
그의 글쓰기 창이 외부와 단 한 번도 연결된 적이
없었다는 사실을 깨달았다고 했다. "창인 줄 알았던
게 거울이었다"라는 그의 고백이 내게는 매우
강렬하게 다가왔다.

퍼포먼스가 시작되자 작가는 첫 문장을 썼고,
이내 자신이 썼던 글을 한 글자씩 지워나갔다. 그때,
작가의 창에 누군가 접속했다는 메시지가 떴다.
그리고 그 순간 그는 그들 사이에 창이 있고, 함께
읽을 수 있는 글이 있다는 사실을 깨달았다.

나는 그의 글을 읽으며 '열린 창'이 무엇인지 조금
알게 됐다. 내가 가진 어떤 소중한 것을 던지고,
창 너머의 누군가가 보내는 무언가를 소중히 받는 것.
사람과 사람의 창은 그렇게 열려야 한다는 것을.

김연수 작가의 글 말미에 아름다운 문장이 있어서
옮겨본다.

> 어떤 글들은 그 창을 지나 누군가에게 닿는다.
> 나의 가장 먼 곳과 타인의 가장 가까운 곳이 만나는
> 경계에서 그런 식으로 의사소통이 일어난다.*

이제 나는 완전히 열지 못했던 창을 활짝 열고
이 기록을 힘껏 던진다. 내게 가장 먼 곳이 당신에게
가장 가까운 곳임을 기억하며. 여기, 이 글을 저기
멀리서 보고 있으리라는 믿음, 그것으로 한 글자씩
써 내려간다.
내가 사랑하는 타인들은 그들에게서 가장 가까운
곳으로 내 글을 마중 나올 것이다. 우리는 그렇게
계속 연결되어 있을 것이다. 그런 믿음은 쉽게
끊어지지 않을 것이다.

* 김연수, 「거울이 아니라 창에서 글쓰기」, 《사물함》 5호 '창문'

뒤라스의 바다

삼 년 전 가을에는 노르망디에 있었다. 그곳의
변덕스러운 날씨는 사람의 기분을 오락가락하게
만들었지만, 시간의 구애를 받지 않고 언제든
바다에 달려갈 수 있었던 것은 살면서 누려본 가장
큰 호사였다.

  인상파 화가들의 그림 속 바다가 지척이었지만,
내가 가장 아꼈던 바다는 해 질 무렵 트루빌,
로슈누아르에서 내려다보는 그것이었다. 네오클래식
양식의 옛 호텔 건물 입구에는 '바다를 보는 것은
모든 것을 보는 것이다'라고 새겨진 대리석이 있었고,
나는 그 문구를 읽을 때마다 눈을 크게 뜨고, 온몸을
열어 바다를 봤다. 석양에 바다와 하늘의 경계가
사라지던 순간이었다.

어느 저녁이었다. 그곳에서 석양을 보고, 해변으로
이어지는 계단을 내려가던 길에 문득 그 계단의
이름이 생각나 웃음이 났다.
"계단에 왜 사람 이름을 붙였을까? 프랑스 사람들은
참 웃겨."
함께 걷던 이는 가만히 미소를 지으며 말했다.
"계단을 밟을 때마다 추억하라고. 프랑스인들이
그들의 작가를 사랑하는 방식이야."
마르그리트 뒤라스 계단. 나는 그 계단을 밟으며
조용히 뒤라스의 이름을 불렀다.

1963년부터 1994년까지, 뒤라스는 매해 여름을
트루빌, 로슈누아르에서 보냈다. 트루빌에서 멀어지면
빛을 잃어버린 기분이라고 할 만큼 그곳을 아꼈던
뒤라스는 여름 내내, 로슈누아르의 커다란 창문으로
바다를 봤다. 바다를 보는 뒤라스의 모습을 사진에서
본 적이 있다. 창 너머로 하얀 바다가 있고, 그 앞을
서성이는 여자의 뒷모습이 찍힌 흑백 사진. 나는 그
사진을 보면서 창가에 선 뒤라스의 뒷모습이 검은
눈동자를 닮았다고 생각했다. 눈이 아니라 온몸으로
보는 시선도 있으니까. 대상을 향해 틀어진 몸, 길게
뻗은 목, 기울어진 고개. 나는 뒤라스가 그곳에서
얼마나 오래 바다를 봤을지 짐작할 수 있었다.
세상에서 가장 잘하는 일은 바다를 보는 것이라고
했던 뒤라스는 1980년 여름, 로슈누아르에서
창 너머로 보이는 바다의 모든 것을 기록했다.

여름 캠프에 온 아이들, 해안을 달리던 모터보트,
변덕스러운 날씨, 그리고 저 멀리 바다 너머의
태풍과 기근과 죽음까지. 얼핏 연관 짓기 어려운
일들이 시간과 공간을 넘어 그녀의 글 속에서 만났다.
눈앞에서 움직이는 모래부터 기록되어야만 하는
역사적 사건까지. 나는 뒤라스의 『80년, 여름』을
읽을 때면, 그저 바라보는 것만으로도 쓸 수 있는
세계가 있다는 게, 그리고 그 모든 것이 창문 안에서
쓰였다는 게 그저 놀랍기만 하다. 뒤라스는 그 작품을
'바다 앞 육지에서 난파한 일기'라고 소개했다지만,
정작 그 안에서 난파한 것은 언제나 나였다. 뒤라스의
언어가 내게 밀려오고, 나를 덮치고, 내 모든 것을
쓸어가버리면, 나는 어느새 살아본 적 없는 1980년
여름, 바다 앞에서 뒤라스가 말한 '트루빌의 고독'을
맛볼 수 있었다.

"여긴 늘 고요해."

계단을 내려오니 이미 어두워진 해변은 텅 빈
방처럼 조용했다. 우리는 목소리를 낮춰 뒤라스의
바다와 기억의 바다를 이야기했다. 나는 그에게 사람
많은 것을 싫어한 부모님 덕분에 여름 바다가 아닌
겨울 바다를 보며 자랐고, 겨울 바다에는 울고 있던
사람이 많아서 바다는 크게 울음을 터뜨리기 위해
가는 곳인 줄 알았다고 말했고, 그는 내게 아버지의
무릎에 앉아 선원이었던 할아버지의 항해일지를
읽었고, 그 항해일지 속 바다가 너무 위험하고
난폭해서 바다를 무서워했다는 이야기를 들려줬다.

"바다에 가자고 하면 펑펑 울었대. 꼭 귀신 나온다고 하면 우는 애들처럼."

그의 말에 우리는 서로를 마주 보고 한참을 웃었다. 먼 곳, 먼 시간의 울음이 그곳에서 만나 웃음이 될 줄 누가 알았을까.

"지금도 바다가 무서워?"

내가 묻자 그가 되물었다.

"지금도 바다가 슬퍼?"

"가끔은 그런 것 같아. 내가 아니라 기억이 그래."

"그래, 나도 가끔은."

"바다는 무섭고 슬픈데, 우리는 왜 자꾸 바다에 올까?"

"기억을 이기려고."

그가 말했다.

뒤라스 역시 바다를 두려워했다. 바다는 어머니의 태평양을 막는 방파제를 집어삼켰고, 꿈에 나타나 그녀를 덮쳤다. 온몸이 물에 젖는 악몽을 꾸고 일어난 날에는 아침부터 술을 마셨다. 로슈누아르에서 뒤라스는 알코올중독에 시달렸다. 뒤라스의 세계에서 액체는 두려움과 불안함의 상징이다. 그녀의 소설 속 여자들은 늘 젖어 있지 않았던가. 물이든, 술이든, 그게 무엇이든. 그러나 그녀들은 달아나지 않았다. 젖은 채로 살았다. 두려움에 등 돌리지 않고, 두려움 곁에 누웠다. 모두 뒤라스의 이야기다.

바다는 내 머릿속에 가장 빈번히 출몰하는
악몽이자 이미지 중 하나예요. 아마 몇 시간이고
바다를 지켜보았던 나와 같은 방식으로, 바다를
아는 사람은 드물 거예요. 바다는 나를 매혹하는
동시에 두렵게 하죠.*

　가장 빈번히 출몰하는 악몽이자 세상에서 가장
두려운 것. 왜 하필이면 그 바다 곁에서 글을 썼을까?
그런 물음이 찾아오면 파도 소리, 바람 소리가
뒤라스의 말처럼 들렸다. 울음과 비명 그리고 침묵의
반복. 내게 뒤라스의 세계는 위태로운 곳이었고, 나는
그녀의 글을 통해 위태로운 것의 아름다움을 배웠다.
어둡게 지는 것, 불안에 흔들리는 것, 고통에 젖은
것, 그러니까 들추기 싫은 삶의 이면도 아름다울 수
있다는 것을.
　불안과 고통을 등지지 않고 옆에 나란히 누워
그것들과 하나되는 것은 삶을 있는 그대로 끌어안는
사람의 사랑이었을까? 분명한 것은 그것이 뒤라스가
문학과 연인을 사랑했던 방식이라는 것이다.

"여기서 뒤라스가 얀 안드레아를 처음 만났어."
　나는 등 뒤로 멀어지는 로슈누아르를 가리키며
그에게 말했다. 그리고 가방에서 책 한 권을 꺼내
뒤라스가 마지막으로 사랑한 연인, 얀 안드레아를
처음 본 순간을 소리 내어 읽었다. 검은색 글씨 위에
까만 어둠이 내려앉았지만, 나는 보지 않아도 그

문장을 읽을 수 있었다. 몇 번이나 뒤라스가 되어
창가에서 얀이 오는 모습을 지켜봤던가. 내가 읽은
그녀의 문장과 단어는 어느새 내 입술을 지나 나의
눈이 되고 있었다.

> 트루빌에서 나는 얀을 알았다. 홀쭉하고 마른 그가
> 건물 안뜰로 들어섰다. 그의 걸음은 빨랐다.
> 힘들어하던 시기였다. 얼굴이 창백했다. 처음에는
> 두려웠다. 그러다 두려움이 사라졌다. 나는 그에게
> 바다를 보여주었다.**

　나는 사랑이 다가오는 순간의 이 기록을 좋아했다.
서로 다른 욕망을 직감하면서도 사랑을 멈출 수
없었던 예순다섯의 여자가 지닌 두려움은 얼마나
연약하고 아름다운 것이었을까. 또 그 두려움이
사라진 순간, 그들이 함께 본 바다는 얼마나
광활했을까. 뒤라스의 열정은 내 안의 벽에 작은
창을 뚫었고, 나는 그 창을 통해 나와 너무 다른
사랑의 얼굴을 편견 없이 볼 수 있었다. 어떤 작가를
사랑하는 일은 그런 것이 아닐까. 그의 창문에 서서
그가 보는 풍경을 내 것으로 받아들이는 일.
　"나는 뒤라스의 사랑이 맹목적이어서 조금 슬픈 것
같아. 글도 그렇잖아."

* 마르그리트 뒤라스·레오폴디나 팔로타 델라 토레, 『뒤라스의 말』,
마음산책
** 마르그리트 뒤라스, 『물질적 삶』, 민음사

걸음을 멈춰 로슈누아르를 돌아보던 그가 말했다.
그러고 보면 뒤라스의 사랑과 글은 꼭 하나처럼
포개진다. 앞을 알 수 없는 것에 자신을 내던지는
것도, 무언가를 붙잡기 위해 달리는 것도, 결국은
고독에 갇히는 것도 모두 닮았다. 어쩌면 뒤라스는
얀을 처음 본 순간부터 그 사랑의 결말이 고독임을
알고 있지 않았을까. 뒤라스라면 기꺼이 모든 것을
알고도 나아가지 않았을까. 그 속에서 '글'이라는
유일한 구원을 기다리기 위해서 말이다. 내가 나를
고독으로 밀어넣어야, 나를 둘러싼 모든 것에
내 고독을 던져야 비로소 나오는 말이 있다는 것을
안다. 그런 생각을 하면 왜 그녀의 글들이 바다
곁에서 태어나야 했는지 조금은 알 것도 같았는데….
"라디오에서 뒤라스의 아들이 '엄마, 슬픔을
멈추세요'라고 했다는 말을 들은 적이 있어. 아마도
아들에게는 그 삶을 이해받았던 것 같아. 그런데 나는
그 말이 참 좋아. '슬프지 마세요'가 아니라 '슬픔을
멈추세요'라는 말."
나는 그의 이야기를 들으며 '슬픔을 멈추세요'라는
말의 의미를 생각했다. '슬프지 마세요'가 아니라
슬픔을 멈추라는 말. 그 말은 어쩐지 슬픔을 부정하는
게 아니라, 오래 함께해온 슬픔을 다독여 돌려보내는
것만 같았다. 갈림길 앞에서 슬픔은 걸음을 멈추고,
슬픔과 헤어진 나는 새로운 길을 떠날 수 있도록.
그날 그는 내 손을 잡으며 "슬픔을 멈춰요"라고
노랫말처럼 말했고, 나도 그에게 "두려움을 멈춰요"

라고 농담처럼 말했다. 드넓은 투르빌의 해변에서
오래된 마음들이 갈라졌다. 두고 가야 할 것은 돌려
보내고, 새롭게 함께 가는 것들만 우리를 따라왔다.
사방이 캄캄했고, 빛 한 줄기 귀했으나 환히 보이는
말들이 있었다.

　바다를 본다는 것은 모든 것을 보는 것이라는 말,
뒤라스의 그 말이 등대처럼 빛났다.

　또다시 석양이다. 나는 창가에 앉아 뒤라스의 말을
담은 책 한 권을 펼친다. "나를 던져, 나를 잃고, 다시
나를 찾아오는 바다에서 무한한 힘을 갖게 됐다"는
문장이 내게 달려온다. 두려움에 자신을 던지고,
잃고, 끝내는 되찾아오는 사람. 나는 이제야 그가
바다 곁에서 글을 썼던 이유를 선명하게 깨닫는다.
　지금 창문 너머에는 바다같이 검푸른 어둠이 있다.
나는 뒤라스처럼 그 검은 출렁임을 가만히 바라본다.
거기, 언젠가 걸었던 해변과 사랑하는 사람과 나눠
읽은 문장 그리고 뒷모습이 눈동자 같았던 사람이
있다. 지금 나는 모든 것을 보고 있다. 어둠 속에,
뒤라스의 말이 남긴 침묵 속에 그때 그 바다가 환히
보인다.

인섬니아

이 밤, 뉴욕 이야기가 담긴 책을 꺼낸다. 잠은
포기했다는 뜻이다. 책 속에서, 영화 속에서 뉴욕은
내게 늘 깨어 있는 도시였다. 빌 헤이스도 "뉴욕이
환자라면 진단명은 흥분성 불면증일 것"이라고
말하지 않았던가. 한 번도 가본 적 없는 도시의
병증이 반갑다. 지금은 새벽 세 시. 나는 아무리
눕혀도 눈이 감기지 않는 고장 난 인형이다.

밤만 되면 눈이 번쩍 떠지고, 가슴이 답답하고,
정신이 또렷해지는 이 증상이 처음 발현한 것은 십여
년 전, 파리에서였다. 태어나서 처음 마련한 나의
작은 집, 아니 작은 방에서.

그 방에는 벽에 딱 붙어 있는 침대가 있었고, 거기
누우면 옆방에 사는 레아의 기척이 선명하게 들렸다.

레아의 침대도 벽에 붙어 있었던 모양이다.

뉴욕 출신이었던 레아는 금요일 밤마다 영어를 쓰는 애인들을 데려왔다. 나는 엘리베이터에서 가끔 마주쳤던 그 남자들의 이름을 모두 '베이비'로 기억한다. 베이비들은 하나같이 흥분 장애를 앓고 있었다. 클럽 음악을 새벽까지 틀어놓고 방방 뛰는 일은 말할 것도 없었고, 사랑할 때마다 어찌나 큰 소리로 욕을 해대던지! 물론 스물한 살에는 그런 것쯤은 용서할 수 있었다. 그저 러브도 퍼킹(fucking)하게 하는 것이 뉴욕식 사랑이구나 감탄했을 뿐.

그러던 어느 날 밤, 비명과 함께 '쿵' 하고 뭔가 부딪치는 소리가 들렸다. 나는 깜짝 놀라 어둠 속에서 벽을 더듬었다. 어디 뚫린 곳은 없었지만, 벽 너머로 레아의 흐느낌이 들렸다. 잠이 달아났다. 경찰에 신고할까 망설이다가 벽을 똑똑 두드려봤다. 잠시 후 저쪽에서도 똑똑.

그날 우리는 "괜찮습니까?" "나는 괜찮습니다"라는 말을 그렇게 주고받았다. 밤새도록 감기지 않는 눈을 억지로 감고, 작은 기척에도 소스라치게 놀라면서 무서운 생각이 들 때마다 똑똑. 그날 이후로 수면 장애가 찾아왔다. 똑똑, 소리와 함께.

잠이 참 얄궂던 시절이었다. 캄캄한 방에서 눈을 말똥말똥 뜨고 있으면 밤이 너무 거대하게 느껴졌고, 그런 날은 얇은 벽 너머로 들리는 레아의 기척이 반가웠다. 어쩌다 한 번씩 서로의 벽을 두드리는 일도 있었다. 똑똑. 괜찮아? 괜찮아. 잠이 안 와? 이제 자.

손등으로 썼던 우리의 문장들.

　분명 똑똑 소리가 난 것 같았다. 침대에 누워 벽을
바라본다. 벽 너머에는 아무도 살지 않는데…, 귓가에
맴도는 똑똑. 물론 귀신은 아니다. 불면증의 시작을
알리는 신호일 뿐. 창 너머에는 덩어리진 어둠뿐, 빛
한 줄기 없다. 누구 하나 깨어 있으면 싶은 밤이다.

　조금 전에 꺼낸 책을 슬며시 펼쳐본다. 뉴욕이란
글자가 한눈에 들어오는 순간, 엠파이어 스테이트
빌딩 전체에 불이 켜지는 듯한 느낌이다. 아, 뉴욕!
톰 행크스와 맥 라이언이 만나고, 〈러브 어페어〉의
두 주인공이 엇갈렸던 곳. 늘어진 비디오테이프의
화질 그대로 뉴욕의 풍광이 창 너머로 펼쳐진다.
떠나기 좋은 불면의 밤, 이제 나는 활자를 밟으며
뉴욕으로 간다. 지금 내게 책은 길이다. 잠 못 드는
도시, 인섬니악 시티로 향하는 길.

　꼭 다섯 번째다. 아마도 다섯 번 모두 잠이 오지
않는 밤에 읽었던 것 같다. 오래 읽은 책은 페이지마다
나만 아는 지표가 숨어 있고, 오늘 내가 제일 먼저
찾은 지표는 "우리의 공통점은 불면증"이라는 말이다.
뉴욕에서 빌 헤이스와 올리버 색스가 처음 만나
서로가 불면증 환자라는 것을 알게 되는 대목인데,
그 문장을 읽으면 두 사람의 표정이 훤히 그려진다.
"같이 자고 싶어요"가 아니라 "함께 깨어 있고 싶어요"
라고 말할 것 같은, 사랑에 빠진 두 남자의 얼굴이.
　올리버 색스의 미소는 90년대 맥 라이언만큼이나

사랑스럽다. 특히 책 속의 한 페이지를 차지하는
돌능금나무 앞에서 찍은 사진 속 모습이 그렇다.
물론 카메라를 든 사람이 빌 헤이스였기 때문일
것이다. 나는 스물한 살에 벽에 귀를 대고 남의
사랑을 엿들었던 것처럼 책에 눈을 맞추고 두 남자의
사랑을 훔쳐본다. 35년 동안 한 번도 섹스를 해본
적 없고, 긴 키스 끝에 깜짝 놀라며 "당신이 발명한
건가요?"라고 묻는 사람, 꼭 끌어안으면 심장이
아니라 상대의 뇌에서 일어나는 일을 들을 수 있다고
말하는 뇌신경학자의 사랑을 기록한 글이 어느새
누군가의 생생한 목소리가 되어 벽을 타고 넘어온다.
책장을 넘길 때마다 몸에 닿던 얇은 벽의 감촉이
되살아나고…, 이제 귀를 더 바짝 붙여야 한다. 내가
제일 좋아하는 장면이 나오니까.

> 2009년 12월 26일, 뉴욕에 살던 올리버 색스는
> 빌 헤이스에게 전화를 걸어 말한다.
> "내가 온갖 제약을 갖고 있다는 거 알아요. 장벽을
> 쳤죠. 빌리하고 사람 많은 곳에 다니는 것도
> 꺼려했어요. 이제 말하고 싶어요. 나도 당신을
> 사랑하고, 어디든 당신과 함께 가고 싶다고."
> 뉴욕의 반대편에 있던 빌 헤이스는 색스의 고백에
> 이렇게 화답한다.
> "나도, 당신하고, 어디든 가겠습니다. 젊은이." *

> * 빌 헤이스, 『인섬니악 시티』, 알마

157

'베이비'보다 열 배는 더 낭만적인 말, '젊은이'. 나는 76세에 처음으로 사랑에 빠진 올리버 색스의 연애를 엿들으며 문득 레아와 스물한 살의 나를 떠올린다. 그때 우리는 왜 그렇게 후진 사랑을 했을까?

아마도 금요일 밤이었을 것이다. 똑똑 소리가 들렸다. 이번에는 벽이 아니라 문에서 나는 소리. 레아였다. 레아는 보드카와 오렌지주스를 들고 내 방문 앞에 서서 물었다.

"베이비, 너도 잠은 틀린 것 같은데 한잔하는 게 어때?"

우리는 좁은 방의 침대에 걸터앉아 보드카에 오렌지주스를 섞어 마시며, 레아의 엑스 베이비들과 나의 별 볼 일 없는 연애를 이야기했다. 뉴욕에서, 서울에서 했던 사랑 이야기. 그 도시들은 우리가 했던 후진 연애의 유일한 조력자이자 목격자였다. 여름밤, 애빙드스퀘어 공원이 아니었다면 절대 키스 따위는 하지 않았을 것이라는 말에 얼마나 웃었는지…. 나는 순식간에 레아의 뉴욕 연애 열차에 올라탄 관광객이 되었다.

"그런데 엠파이어 스테이트 빌딩에 불이 켜지면, 진짜 막 사랑에 빠질 것 같고 그래?"

순진한 관광객의 질문에 레아는 웃으며 되물었다.

"에펠탑에 불이 켜지면 사랑에 빠져?"

에펠탑이 반짝이면 흑인과 아랍인들이 야광 팔찌를 내 손목에 채우고 2유로를 내놓으라고 협박하는데, 역시 그런 건 영화에 나올 리 없다. 그러니 진짜

뉴욕도 로맨틱 코미디나 멜로 영화 속에는 없겠지만,
한껏 달아오른 대화와 술은 나를 태우고 흥분성
불면증에 시달리는 그 도시를 밤새 달렸다. 그리고
해 뜰 무렵, 종착역을 찾지 못하던 나의 뉴욕 가이드는
이렇게 물었다.
"그러니까 사랑이 도대체 뭐냐고?"

　그 밤의 뉴욕에 비하면 지금 이곳은 잠든 노인의
도시나 다름없다. 내일의 피로가 미리 두려운
사람들이 사는 적막강산. 나는 옆에 잠든 이가 깨지
않게 조용히 책장을 넘긴다.
　청각이 예민한 문장이다. 책에 귀를 대면 멀리서
지하철이 달리는 소리와 맨해튼을 걷는 사람들의
발걸음 소리, 어느 건물 옥상에서 연인들이 샴페인을
터뜨리는 소리가 들릴 것만 같다. 지금 나는 뉴욕과
얇은 벽을 사이에 두고 있다. 똑똑 두드리면,
저쪽에서도 똑똑 응답할 것 같은.

　　　뉴욕 사람이 된다는 것은, 이 도시를 벗어났을 때
　　　뭔가 놓치는 것 같다고 느끼는 것, 그러니까
　　　내 이야기는 찰나에 지나가버린 일, 엿듣고 알게
　　　된 일, 기대하지 못했던 일을 놓치는 것을 말한다.
　　　도시를 뒤덮어 평화로운 신세계로 만드는 눈
　　　같은 일. 아니면 어스름한 여름밤 공원에 나타난
　　　반딧불이의 광경, 웨스트빌리지의 자갈길에 울리는
　　　야경 또는 기마경찰의 또각거리는 말발굽 소리,

지나가는 사람들 귀에 다 들리는 연인들의 말다툼
소리. 물론 내 귀에는 음악처럼 들리는 소리가
다른 사람에게는 견딜 수 없는 소음일지도 모른다.
이곳의 삶은 존 케이지의 음악, 설득력 있는
불협화음이다.*

어떻게 도시의 소음을 존 케이지의 음악이라고
말할 수 있을까. 그렇게 표현할 수 있는 사람은
90년대 로맨스 영화 속 주인공들과 올리버 색스
그리고 뉴욕과 사랑에 빠진 빌 헤이스밖에 없을
것이다.

언젠가 어느 여배우의 인터뷰 기사에서
"사랑스러운 연기는 없다. 다만 상대역이 나를
사랑스러운 눈빛으로 봐줄 때, 사랑스러운 캐릭터가
탄생한다"라고 말한 것을 읽은 적이 있다. 내가
뉴욕을 사랑에 들떠 잠 못 이루는 곳으로 착각하는
이유도 그 도시의 상대역들, 오래된 사랑 영화와
빌 헤이스와 올리버 색스 때문이 아닐까. 아마도 지금
나는 뉴욕이 아니라, 사랑하는 이들의 언어 속을 걷고
싶은 모양이다. 그 낱말들 사이를 걸으면 잠 같은
것은 아무래도 좋았던 시절의 흥분을 되찾을 수 있을
것만 같아서. 그러나 마음과는 달리 자꾸만 침잠하는
내 몸은 고개를 저으며 말한다.

* 빌 헤이스, 『인섬니악 시티』, 알마

"베이비, 너는 이제 스물한 살의 그 베이비가
아니야."

그래도 그 시절의 나보다 지금의 내가 하나 더 가진
게 있다. 보드카와 오렌지주스에 취해 "사랑이 도대체
뭐야?"라고 물었던 질문에 대한 답 말이다. 내가
아니라, 죽음에 가까워진 몸을 이끌고 수영장 레인
끝까지 헤엄쳐서 갔던 올리버 색스가 빌 헤이스에게
했던 말, "우리 더 하자."

그러니까 사랑은 소중한 사람, 소중한 무엇과 조금
더 해보는 것, 그런 것이 아닐까 싶은데….

물론 마흔한 살의 베이비가 뭘 얼마나 알겠는가.
여하튼 지금은 이 흰 밤 끝까지 사랑하는 책을 조금
더 읽어볼 생각이다.

똑똑,
벽 너머 그쪽은 나를 대신해 깊은 잠을 잘 수 있길.

소극적 인간의 적극적 관찰 일기

서른 살에는 십 년 동안 살았던 파리를 떠나 프랑스 중부로 갔다. 즉흥적인 결정이었다. 세월을 헤프게 쓸 수 있었던 그 시절에는 모든 게 쉬웠다. 나와 마르땅은 관광안내소에서 가져온 프랑스 지도를 펼치고 살 만한 도시를 손가락으로 찍어 골랐다. 조건은 두 가지였다.

집세가 쌀 것, 연극을 볼 수 있는 극장이 있을 것. 거기에 덤으로 아시아 슈퍼에서 고추장과 라면을 팔면 그걸로 결정은 끝. 그때 우리는 정말 그거면 충분했다.

이사 가던 날, 중고로 산 가전제품과 쓰던 물건들을 대충 트럭에 싣고 낡은 집과 번잡한 도시를 떠났다.

저 길만 지나면 다른 풍경이 펼쳐질 것이고, 다른 환경 속에서 새로운 내가 태어날 것이라는 기대로 여섯 시간을 내리 달렸다. 내 생에 열 번째 이사였다.

우리가 살게 될 도시의 첫인상은 조금 기묘했다. 시커멓고 뾰족한 성당은 여름 태양에 목이 감겨 금방이라도 타들어갈 것 같았고, 화산을 품은 도시답게 잿빛 화강암으로 쌓아올린 건축물들은 타고 남은 시간의 잔해 같았다.

"저것 때문에 검은빛의 도시라고 불린대."

마르땅이 검은 성당을 가리키며 말했다. 검은빛의 도시라니, 이상한 별명이라고 생각했다. 검은 것도 빛이 될 수 있던가? 새집을 찾아가는 길에 몇 번이고 생각했다. 검은빛과 검은빛의 도시에서 살게 될 나의 미래를.

새로 살게 된 집은 여섯 가구가 사는 70년대식 작은 건물이었다. 우리 집은 사층이었고, 도착하고 나서야 엘리베이터가 없다는 사실을 깨달았다. 세탁기와 냉장고를 올려야 하는데…. 젖 먹던 힘을 다해 냉장고를 올렸고, 젖 먹던 힘을 다 써버리는 바람에 세탁기 앞에서 쩔쩔맸다. 겨우 이층까지 올렸던가, 그때 내게 힘이 조금 더 남아 있었다면 그걸 계단 밑으로 던져버렸을 것이다. 나는 더 올라가지도 내려가지도 못하고, 층계 끝에 대롱대롱 매달린 그 괴물을 온몸으로 지탱하면서 울음을 터뜨렸다. 그때 나는 무게가 감각이 아닌 감정이라는 것을 알게 됐다.

내가 세탁기에 깔려 울음을 터뜨리자 당황한

마르땅도 울먹이기 시작했고, 우리는 그 어이없는
상황에 마침내 둘 다 웃음이 터지고 말았다. 계단에서
기울어진 세탁기에 등을 대고 새빨개진 얼굴로 함께
울다 웃었던 기억. 나는 지금도 세탁기를 사층까지
함께 들어올리는 사랑보다 힘센 것은 없으리라
믿는다. 무게와 울음과 웃음을 나눠 가진 사랑을
무엇이 이길까.

　새집의 문을 열고 들어가자 복도가 보였다. 복도
양쪽으로 방이 세 개가 있었고, 방마다 커다란
창으로 노을이 되기 직전의 태양이 붉은빛을 남겼다.
우리는 땀과 눈물로 범벅된 얼굴로 환호하며 복도를
뛰어다녔다. 빛이 예쁜 이곳에서 오래오래 잘 살자고
외치면서.

　이사 온 지 얼마 되지 않아 마르땅은 지역의 오래된
극단에서 조연출로 일하게 됐다. 조연출은 연습실
청소부터 포스터 붙이기까지 연출을 제외한 모든
일을 도맡아 해야 했고, 본격적으로 공연 준비가
시작되면서부터는 아침 일찍 나가 새벽 한 시, 두 시에
파김치가 되어 집으로 돌아오는 나날이 이어졌다.
귀가 아플 정도로 말이 많았던 사람이 말이 없어진
것도 아마 그때쯤이었을 것이다. 우리는 세탁기는
함께 들 수 있었지만, 침대에 웅크리고 돌아누운
서로의 등에 얹힌 무거운 공기는 나눠 가질 수 없었다.
　그 집에서는 혼자 있는 시간이 정말 많았다. 아는
사람이 없어서 나갈 일도 없었고, 사람을 모르니까

낯선 동네가 더 낯설게 느껴졌다. 소소하게 하던 번역 일을 제외하고는 아무것도 하지 않는 시간이 많았는데, 대부분은 창문 밖을 내다보며 지냈다. 창을 열고 건너편을 바라보는 일, 그것이 내 유일한 취미였다.

　창 너머에는 저소득층을 위한 임대아파트가 있었다. 어째서 우리는 올리브나무나 느티나무 숲이 보이는 곳으로 가지 않았을까. 창밖을 볼 때마다 그런 생각을 했다. 우리를 닮은 사람들이 아니라, 보고 있으면 휴식이 될 만한 그런 풍경이었다면 좋았을 것이라고….

　그 아파트에서 나와 눈이 자주 마주치던 사람 중에는 반바지 외에 옷이란 것을 걸칠 줄 모르는 근육질의 남자와 목욕 가운을 절대 벗지 않는 칠십대 할머니, 늘 전화기를 붙잡고 창턱에 걸터앉아 담배를 피우는 젊은 여자가 있었다. 그들은 나처럼 집 밖에 잘 나가지 않았고, 혼자였고, 창가를 자주 서성였다. 나는 매일 그들이 혼자서 밥을 먹고, 뻣뻣한 몸을 힘들게 굽혀 발톱을 깎고, 재떨이에 버린 꽁초를 다시 주워 피우는 모습을 봤고, 그런 걸 볼 때마다 사는 게 조금 지루하고 징그럽다고 생각했다. 그들도 내가 온종일 소파에 누워서 허공에 혼잣말을 하는 모습을 보며 비슷한 감정을 느꼈을 것이다. 어쩌다 창가에서 마주치기라도 하면 나도 그들도 서둘러 커튼을 닫았다. 이쪽도 저쪽도 적막을 들키고 싶지는 않았을 것이다.

열 번의 이사 끝에 내가 배운 것은 창 너머의 풍경이란 내 삶의 일부이면서 내 것은 아니라는 사실이었다. 만질 수도 없고 바꿀 수도 없는 그것은, 내게 거부와 수용, 무시라는 세 가지 선택지만을 줬다. 어쩌면 사는 일이 전부 그런 것일지도 모르겠다. 내 삶이라고 하지만 내 것이 아닌 것들로 둘러싸여 거부와 수용, 무시라는 세 가지 선택지를 받아들이는 것, 그중 하나를 쥐고 조금 더 나은 쪽으로 혹은 조금 더 나쁜 쪽을 향해 가는 것 말이다.

내게는 거부하는 쪽이 조금 더 쉬웠다. 그리고 그것이 나를 늘 떠나게 했지만, 돌이켜보면 어디를 가도 나와 비슷한, 나를 닮은 환경이 내게 돌아왔던 것 같다. 내가 볼 수 있는 만큼만 보이는 것이니까. 풍경이 내가 되는 것이 아니라 내가 나의 풍경이 되는 것임을 오래도록 모르고 살았다.

그러나 어쩐 일인지 그곳에서는 조금 다른 선택을 하고 싶었다. 다시 낯선 곳으로 무거운 걸(특히 세탁기) 들고 떠나는 일에 대한 피로 때문이었을까. 여기서도 저기서도 늘 무겁고 버거운 삶이라면 이제는 그걸 좀 견뎌보는 게 어떨까 하는, 도망이 귀찮아진 사람의 긍정적 체념이었을지도 모르겠다.

나는 처음으로 나를 둘러싼 환경을 수용해보기로 했다. 기왕이면 적극적으로. 맞은편 아파트가 훤히 보이는 창가에 작은 테이블을 가져다 놓고, 그곳에 앉아 창밖으로 보이는 모든 것들을 글로 쓰기 시작했다. 처음에는 그저 단순한 묘사에 불과했다.

그 글 안에서 사람들은 사물처럼 놓인 자리에 있거나 비슷한 움직임을 반복할 뿐이었다. 누군가에게 보여주기 부끄러운 글이었지만, 그래도 기록하는 동안에는 창 너머의 사람들과 그들의 삶이 내 무료한 시간을 달래주는 중요한 무언가가 되기도 했다. 그렇게 하루도 빼놓지 않고 기록하며 한 계절을 보낼 즈음에는 보이지 않던 게 보이기 시작했다.

반나체로 근육 자랑을 하던 남자가 고양이를 키우는 것과 그 고양이가 남자의 울퉁불퉁한 몸을 캣타워처럼 이용한다는 것, 온종일 전화기만 붙잡고 있는 여자가 어떤 전화에는 조금 더 웃고, 어떤 전화에는 조금 더 슬퍼한다는 것. 그중에서도 가장 내 눈길을 끌었던 것은 할머니의 집 발코니에 놓인, 의자가 하나뿐인 테이블이었다. 보통 테이블에는 최소한 두 개의 의자가 놓여 있지 않은가. 그게 참 이상하다 싶었는데, 어느 날 동네를 산책하다가 발코니에 의자가 하나뿐인 집들이 꽤 많다는 사실을 알게 됐다. 그리고 그런 집은 대부분 찾아오는 이 없는 노인들이 혼자 살고 있었다. 그날 이후로 나는 의자가 하나뿐인 테이블과 나의 노년을 자주 생각했다. 누구에게나 그런 날은 오니까. 그런 생각을 하면 외롭기보다 최선을 다해 사랑하고 싶은 마음이 간절해졌다. 하나뿐인 의자에 앉아 지낼 날들을 위해 어떤 마음을 든든히 비축해두고 싶었다.

작은 것들을 알아채기 시작할 무렵, 내 글에도 서사가 생겼다. 사람의 감정이나 마음, 관계 같은

이야기를 담은 글 말이다. 창밖의 풍경은 하나도
달라지지 않았는데 내게는 없던 이야기가 찾아왔고,
그 이야기 안에서 나는 조금씩 그 너머의 삶을 살아볼
수 있었다. 반은 진실이고 반은 창조된 인물들을
통해서 낯선 이들의 감정을 대신 느껴보기도 했고,
그 감정을 바탕으로 혼자서 이상한 우정을 키우기도
했다. 시야가 아주 조금 넓어졌다. 경계가 확장됐다.
타인의 삶이 비로소 눈에 들어왔다. 이 모든 것이 창
하나를 사이에 두고 일어난 변화였다.

〈소극적 인간의 적극적 관찰 일기〉

아무에게도 보여주지 않을 글에 제목을 붙였다.
조금 더 나은 이야기를 쓰고 싶었다. 예쁜 문장이
없어도, 대단한 삶이 없어도 아름다울 수 있는
이야기, 읽다 보면 '그래, 그럴 수도 있지'라고 끄덕일
수 있는 이야기를 만들고 싶었다. 누군가의 외로움도
사랑도 그래 그럴 수 있지, 내 이야기가 될 수도 있지,
그런 마음을 품게 하는 글.

글을 쓰는 일이 재미있다고 느낄 무렵, 아침을
먹다가 마르땅에게 지난 몇 달 동안 내가 쓴 글에
대해 말해주었다.

"들어 봐, 우리 집 창문을 열면 이런 이야기가 있어."

오랜만에 환히 웃으며 이야기를 듣던 마르땅은 내
이야기에 자신의 이야기를 보탰다.

"있잖아, 극장에는 이런 사람들이 있어."

몇 개월 동안 함께 공연하며 알게 된 극장의

사람들은 무대 위보다 무대 아래에 더 커다란 서사를
품고 있다고 했다. 환한 조명이 켜진 무대가 좋아서
시작한 연극이었는데, 이제는 컴컴한 무대 아래서
검게 빛나는 사람들 때문에 연극을 계속하고 싶다고.
아니, 다르게 해보고 싶다고. 나는 그의 말에 심장이
조금 빠르게 뛰었고, 처음으로 누군가에게 보여줄
수 있는 글을 쓰고 싶다고 생각했다. '나'에서 '너'로,
'그들'에서 '우리'로 조금씩 확장되는 이야기.
"그런 이야기가 내게 와줄까?"라고 물으면,
"물론이지"라고 말해주는 사람 덕분에.

나의 적극적 관찰 일기를 계기로 우리는 새로운
풍경을 만들기 시작했다. 산책을 하면서 발코니의
의자에 혼자 앉아 거리를 바라보는 노인들에게
인사를 건네기 시작했고, 그렇게 주고받은 말을
계기로 그들과 진짜 이웃이 될 수 있었다. 한번은
목욕 가운만 입던 할머니가 예쁜 원피스를 입고
우리에게 손을 흔드는 것을 봤다. "오늘은 왜 이렇게
아름다우세요?"라고 묻는 마르땅에게 할머니는
친구가 오기로 했다고 수줍게 웃으며 말했다. 우리는
할머니 집 발코니에 나온 짝이 안 맞는 두 개의
의자를 보면서 노인이 된 우리의 모습을 상상했다.
내 모습은 잘 그려지지 않았지만 그의 모습은
짐작할 수 있었고, 그것이 나를 안도하게 했다. 그는
언제나 자신을 둘러싼 환경을 조금 더 좋은 쪽으로
바꿔나가는 사람이니까. 그를 마주보는 것만으로도
보장되는 아름다움이 있을 것 같았다.

그날 동네를 몇 바퀴 돌며 나의 가장 가까운
건너편에 그가 있음을 깨달았다. 그러니까 내가 가진
가장 아름다운 풍경은 나와 마주보는, 내가 사랑하는
사람. 그런 풍경이 있다면 나는 어디서든 살 수 있을
것 같았다.

　근육질의 남자와는 빵집에서 몇 번 마주치며 안면을
텄다. 그와 나는 가벼운 묵례를 나누는 게 전부인
사이였지만, 어쩌다 동네 길고양이를 함께 발견한
날에는 동시에 '우쭈쭈주' '야옹야옹' '미욜미욜' 같은
외계어 소리를 내다가 서로 민망한 미소를 짓기도
했다. 늘 전화만 하던 여자와는 제대로 인사를 나눠본
적 없었지만, 그녀의 표정과 몸짓을 보는 일은 나의
몸짓과 표정을 인식하게 만들었다. 사람에게 자기
자신도 이해할 수 없는 복잡한 마음을 표현해주는
표정과 몸이 있다는 건 얼마나 놀라운 일인가. 어떤
예술도 그것을 대체할 수는 없을 것이다.

　나는 여전히 창문 너머 올리브나무나 느티나무
숲을 꿈꾸고 상처 없는 아름다움을 동경하지만, 나를
조금 더 확장시키는 것은 사람들, 그러니까 화산처럼
뜨겁게 터지고, 상처 입고, 식고, 회복되기를
반복한 이들의 검게 빛나는 이야기임을 알고 있다.
검은빛이라는 게 존재한다면, 그것은 아마도 그
어두움에서 빛을 발견하는 사람이 있기 때문 아닐까.
타인의 이야기로 기꺼이 조금 더 기쁘고, 조금 더
슬픈, 그런 사람들이 있어서.

그런 생각을 하면 발걸음이 부지런해지고 눈이
바빠진다. 누군가의 기쁨과 슬픔을 조금 더 만나고
싶어서. 조금 더 기쁘고, 조금 더 슬픈 사람으로 살고
싶어서.

지금은 빛이 저문 저녁, 나는 여기 창가에 서서
집으로 돌아가는 사람들의 그림자처럼 검은 뒷모습을
바라보며 그들의 어둠을 귀히 여기는 법을 배운다.
이제 막 창 너머로 작은 표정과 몸짓이 반짝거리기
시작했다. 저기, 검은빛이 빛난다.

창문 너머 어렴풋이   1판 1쇄 2022년 7월 25일 펴냄
1판 3쇄 2023년 11월 20일 펴냄

지은이 ¦ 신유진
펴낸이 ¦ 최선혜
편집 ¦ 최선혜
디자인 ¦ 나종위
인쇄 및 제책 ¦ 세걸음

펴낸곳 ¦ 시간의흐름
출판등록 ¦ 제2017-000066호
주소 ¦ 서울시 마포구 토정로 33, 501
이메일 ¦ deltatime.co@gmail.com
SNS ¦ instagram @deltatime.co
ISBN ¦ 979-11-90999-10-6 (03810)